LE FANTÔME SANS TÊTE

Chair de poule
34

LE FANTÔME SANS TÊTE

R.L. STINE

Traduit de l'anglais par
J. Lussier

Données de catalogage avant publication (Canada)

Stine, R.L.

Le fantôme sans tête

(Chair de poule; 34)
Traduction de: The Headless Ghost.
Pour les jeunes de 8 à 12 ans.

ISBN: 2-7625-8495-7

I. Lussier, J. II. Titre. III. Collection: Stine, R.L. Chair de poule; 34

PZ23.S85Tet 1996 J813'.54 C96-941052-2

Infographie de la couverture: Michael MacEachern
Mise en page: Anie Lépine

Dépôts légaux: 4e trimestre 1996
Bibliothèque nationale du Québec
Bibliothèque nationale du Canada

ISBN: 2-7625-8495-7 Imprimé au Canada

LES ÉDITIONS HÉRITAGE INC.
300, rue Arran, Saint-Lambert (Québec) J4R 1K5
Téléphone: (514) 875-0327
Télécopieur: (514) 672-5448
Courrier électronique: heritage@mlink.net

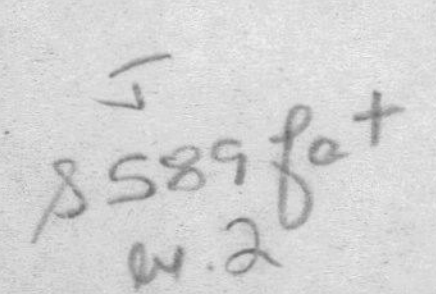

Stéphanie Auclair et moi hantons le voisinage. Il y a beaucoup d'enfants dans le coin, et nous aimons bien les effrayer un peu.

À l'occasion, nous sortons tard le soir sans que nos parents s'en aperçoivent, et nous faisons peur aux enfants en nous montrant à leur fenêtre, le visage recouvert d'un masque. Il arrive aussi que nous laissions une main ou un doigt en caoutchouc sur le rebord d'une fenêtre ou que nous mettions quelque chose de dégoûtant dans une boîte aux lettres.

Nous nous cachons aussi parfois derrière un arbre ou un arbuste et laissons échapper des hurlements ou des gémissements à donner la chair de poule. Stéphanie sait comment pousser un cri de loup-garou qui glace le sang, et je suis capable de hurler assez fort pour faire trembler les feuilles des arbres.

Presque tous les enfants du voisinage sont terrorisés. Le matin, ils jettent un coup d'œil à l'extérieur pour vérifier qu'ils peuvent quitter la maison sans danger, et le soir, la plupart d'entre eux n'osent pas sortir seuls. Stéphanie et moi sommes on ne peut plus fiers de notre succès.

Qui croirait que Stéphanie Auclair et David Rajotte, deux jeunes de douze ans qui entreprennent leur cours secondaire et semblent tout à fait normaux le jour, terrorisent la ville le soir venu? Personne. Notre secret est bien gardé.

Stéphanie a les yeux et les cheveux bruns, tout comme moi. Nous sommes tous les deux grands et minces, mais Stéphanie me dépasse de quelques centimètres parce qu'elle a une chevelure plus volumineuse. Les gens la prennent parfois pour ma sœur et moi pour son frère, mais en fait, je suis enfant unique et Stéphanie aussi. Nous sommes d'ailleurs tout à fait heureux de n'avoir ni frère ni sœur.

Comme Stéphanie habite en face de chez moi, de l'autre côté de la rue, nous nous rendons à l'école ensemble. Nous avons aussi l'habitude d'échanger nos lunchs même si nos parents nous préparent le même genre de sandwichs.

Bref, rien ne nous distingue des autres jeunes de notre âge, rien sauf notre passe-temps nocturne. Pourquoi est-ce que nous avons décidé de hanter le voisinage? Eh bien, c'est une idée qui nous est venue à l'Halloween.

Ce soir-là, l'air était frais et le ciel, dégagé. La lune flottait au-dessus des arbres. Déguisé en spectre de la mort, je me tenais devant une fenêtre de la maison de Stéphanie. Sur la pointe des pieds, je regardais à l'intérieur pour tenter d'apercevoir son déguisement.

— Hé ! défense de regarder. Décampe d'ici, David ! m'a soudain crié Stéphanie à travers la fenêtre fermée.

— Je ne regardais pas. Je m'étirais, ai-je répliqué pendant qu'elle baissait le store.

Stéphanie a toujours un déguisement épatant à l'Halloween, et j'avais hâte de voir ce qu'elle avait choisi. L'année dernière, elle est apparue enveloppée d'une masse de papier hygiénique vert parce qu'elle s'était déguisée en pomme de laitue.

Mais cette fois-ci, je croyais bien avoir un déguisement plus réussi que le sien. Je portais en effet des chaussures à semelles épaisses qui me faisaient paraître encore plus grand et une longue cape noire à capuchon. Mes cheveux bruns frisés étaient dissimulés sous un bonnet en caoutchouc, et j'avais le visage barbouillé d'un maquillage dont les couleurs rappelaient celles d'une miche de pain moisie.

Après un premier coup d'œil, mon père avait préféré ne pas me voir dans ce déguisement parce que mon apparence lui soulevait le cœur. Victoire ! J'avais hâte de voir Stéphanie réagir de la même façon.

— Dépêche-toi ! ai-je lancé à Stéphanie. Je commence à avoir faim et je veux des friandises.

Je me suis mis à marcher de long en large sur la pelouse, ma cape balayant l'herbe et les feuilles tombées des arbres.

— Hé ! où es-tu passée ? ai-je encore crié.

Pas de réponse. Je me suis retourné avec un soupir d'impatience et, soudain, un énorme animal poilu a sauté sur moi pour m'arracher la tête.

2

Avec un grognement, l'animal a tenté d'enfoncer ses crocs dans ma gorge. J'ai reculé d'un pas. On aurait dit un énorme chat noir au poil touffu et hérissé. Une substance jaune gluante s'échappait de son museau et de ses oreilles. Ses longs crocs blancs brillaient dans l'obscurité.

La créature a poussé un autre grognement et a tendu la patte dans ma direction.

— Donne-moi toutes tes friandises.

— Sté... Stéphanie? ai-je bégayé d'une voix étranglée.

J'avais cru la reconnaître, mais je n'en étais pas certain.

Pour toute réponse, la créature a enfoncé la patte dans mon estomac, et j'ai alors aperçu la montre de Stéphanie à son poignet.

— Ouah! Stéphanie, ton déguisement est...

Sans me laisser le temps de finir, Stéphanie s'est accroupie derrière la haie et m'a tiré le bras pour que je l'imite. Mes genoux ont protesté sous le choc.

— Hé ! tu es folle ? Qu'est-ce qui te prend ?

Plusieurs enfants déguisés approchaient de l'autre côté de la haie. Lorsqu'ils sont arrivés à notre hauteur, Stéphanie s'est redressée d'un bond en grondant. Absolument terrifiés, les enfants se sont enfuis en courant. Trois d'entre eux ont laissé échapper leur sac de friandises et Stéphanie s'en est emparée.

— Miam-miam.

— Ouah ! Ils ont vraiment eu peur, ai-je dit en regardant les enfants détaler.

Stéphanie s'est mise à rire. Elle a un drôle de rire haut perché qui me fait toujours éclater de rire à mon tour.

— Je dois avouer que c'était plus amusant que de quêter des friandises, a déclaré mon amie.

D'où l'idée de passer la soirée à faire peur aux enfants. Nous n'avons pas ramassé beaucoup de friandises, mais nous nous sommes bien amusés.

— Ce serait bien de pouvoir faire ça tous les soirs, ai-je dit quelques heures plus tard sur le chemin du retour.

— Rien ne nous en empêche, a répliqué Stéphanie avec un sourire. Après tout, il n'y a pas qu'à l'Halloween qu'on peut faire peur aux enfants.

Rejetant la tête en arrière, elle a ensuite éclaté de rire, et je l'ai imitée.

Et c'est comme ça que nous avons eu l'idée de hanter le voisinage. Depuis, nous semons la terreur partout... ou presque. Il y a en effet un endroit que même Stéphanie et moi évitons. Une vieille maison de pierre qu'on appelle la Maison de la colline, probablement parce qu'elle se trouve au sommet d'une élévation dans la rue de la Côte.

Je sais qu'on voit ce genre de vieilles demeures dans beaucoup de villes, mais celle-ci est hantée, hantée par un fantôme sans tête.

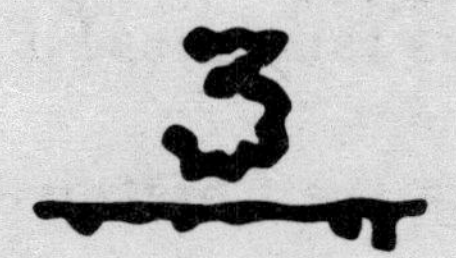

La Maison de la colline est l'attraction pour touristes la plus populaire des environs. En fait, il n'y en a pas d'autres. C'est un endroit relativement bien connu parce que beaucoup de livres en font mention.

Des guides vêtus d'un uniforme noir lugubre la font visiter une fois l'heure. Ils se comportent d'une manière terrifiante et racontent au sujet de la maison des histoires horribles dont certaines me donnent la chair de poule.

Stéphanie et moi adorons visiter la Maison de la colline, surtout en compagnie d'Otto. C'est notre guide préféré. Grand et chauve, Otto a une voix forte et de petits yeux noirs qui semblent vous percer du regard. Même son sourire est lugubre.

Parfois lorsqu'il nous entraîne d'une pièce à une autre, il baisse le ton, et sa voix devient à peine audible.

— Le fantôme, il est là ! Là ! s'écrie-t-il alors tout à coup en écarquillant les yeux.

Et chaque fois, Stéphanie et moi nous mettons à hurler.

Nous avons visité la Maison de la colline tellement souvent que nous pourrions sans doute y travailler comme guides. Nous connaissons toutes les pièces, tous les endroits où de vrais fantômes ont été aperçus. De vrais fantômes ! J'adore venir ici, et Stéphanie également.

Veux-tu connaître l'histoire de la Maison de colline ? Eh bien, voici ce que racontent Otto, Éva et les autres guides.

La maison a été construite il y a cent cinquante ans environ par un jeune capitaine de navire qui comptait y habiter avec sa nouvelle épouse. Le jour même où les travaux de construction ont pris fin, le capitaine a reçu l'ordre de prendre la mer. Son épouse s'est donc installée seule dans cette immense demeure froide et sombre.

Mois après mois, la jeune femme contemplait le fleuve à travers la fenêtre de sa chambre, attendant le retour de son mari. Elle l'a attendu comme ça tout l'hiver, puis tout le printemps et tout l'été. Perdu en mer, son mari n'est jamais revenu.

Un an après son décès, un fantôme est apparu pour la première fois dans la maison. Le fantôme du jeune capitaine de navire, qui était revenu en quête de son épouse.

Chaque soir, il flottait à travers la maison en s'éclairant d'une lampe à huile.

— Isabelle ! Isabelle ! appelait-il sans jamais obtenir de réponse.

Accablée par le chagrin, son épouse Isabelle avait fui la maison pour ne jamais y revenir. Une autre famille s'y était installée.

Au fil des années, beaucoup de gens ont rapporté avoir entendu la voix triste et lugubre du fantôme appelant son épouse. Personne cependant ne l'avait vu jusqu'à il y a une centaine d'années.

À cette époque, un homme du nom de Cloutier a acheté la maison. Son fils Alcide, âgé de treize ans, était désagréable et méchant. Il prenait plaisir à terroriser les serviteurs et à leur jouer des tours cruels. Il a même une fois lancé un chat par la fenêtre et n'a pas caché sa déception en voyant que l'animal avait survécu à l'expérience.

Comme même ses parents ne pouvaient le supporter, Alcide passait la journée seul à explorer la vieille demeure. Un jour, il a ainsi découvert une pièce qu'il n'avait pas encore visitée. Poussant le lourd battant de la porte, il s'est glissé à l'intérieur.

L'endroit était faiblement éclairé par une lampe à huile posée sur une petite table. Il n'y avait aucun autre meuble dans la pièce, et personne ne s'y trouvait.

« Bizarre, a vraisemblablement songé Alcide. Pourquoi avoir une lampe allumée dans une pièce vide ? »

Alcide s'est approché de la table. Comme il se penchait pour éteindre la lampe, un fantôme est apparu. Celui du capitaine. Au cours des années, il s'était transformé en une créature terrifiante avec de longs ongles recourbés et des dents noires visibles entre ses lèvres sèches et enflées. Le visage du capitaine disparaissait sous une barbe blanche hirsute.

— Que... qui êtes-vous ? a demandé Alcide en le fixant avec horreur.

Sans un mot, le fantôme le dévisageait d'un regard dur.

— Qui êtes-vous ? Que voulez-vous ? Pourquoi êtes-vous ici ?

N'obtenant toujours pas de réponse, Alcide s'est retourné et a tenté de fuir. Il n'avait pas fait deux pas lorsqu'il a senti le souffle froid du fantôme sur sa nuque.

Alcide a tendu la main vers la porte, mais le fantôme s'est mis à tourner autour de lui comme un panache de fumée.

— Non ! Arrêtez ! a crié Alcide. Laissez-moi sortir !

La bouche du fantôme s'est ouverte, révélant une sombre cavité.

— Maintenant que tu m'as vu, a déclaré le fantôme d'une voix basse rappelant le bruissement de feuilles mortes, je ne peux pas te laisser partir.

— Non ! a hurlé Alcide. Laissez-moi sortir d'ici ! Laissez-moi sortir !

— Maintenant que tu m'as vu, a répété le fantôme sur un ton glacial, je ne peux pas te laisser partir.

Il a alors levé les bras et a saisi le visage d'Alcide entre ses mains, le pressant de plus en plus fort.

Devine ce qui s'est passé ensuite.

Le fantôme a arraché la tête du garçon pour ensuite la dissimuler quelque part à l'intérieur de l'imposante demeure. Après quoi, il a laissé échapper un dernier hurlement qui a fait vibrer les murs de la maison.

— Isabelle ! Isabelle !

Le fantôme du capitaine a ensuite disparu à jamais, ce qui ne veut pas dire que la maison a cessé d'être hantée. Au contraire, il y avait dorénavant un nouveau fantôme dans la Maison de la colline. Celui d'Alcide, qui en fouille chaque nuit les pièces et les corridors à la recherche de sa tête.

Selon Otto et les autres guides, on peut entendre ses pas partout dans la maison. Et chaque pièce de la demeure a aujourd'hui sa propre histoire terrifiante.

Tout ce que racontent les guides est-il vrai ? Stéphanie et moi aimons bien le croire. C'est pour ça que nous ne nous lassons jamais de venir ici. Nous avons visité la maison des dizaines de fois au moins.

C'est toujours tellement amusant.

5

Il est environ vingt-deux heures, et ce soir encore, nous hantons le voisinage. Après avoir hurlé sous la fenêtre de Marise Janelle, nous sommes allés mettre des os de poulet dans la boîte aux lettres des Marien. C'est dégoûtant de sentir des os sous ses doigts lorsqu'on plonge la main dans sa boîte aux lettres.

Nous avons ensuite traversé la rue pour nous rendre chez Fred Genoît, un garçon de notre classe à qui nous réservons un tour bien particulier.

Il faut dire que Fred a une peur bleue des insectes et qu'il dort en laissant sa fenêtre ouverte jusqu'à ce que l'hiver arrive. Alors Stéphanie et moi aimons nous approcher en douce de la fenêtre et lancer des araignées en plastique sur Fred pendant qu'il dort. Les araignées lui chatouillent le visage, et Fred se réveille en hurlant de peur.

Ça ne rate jamais. Fred croit toujours qu'il s'agit de vraies araignées. Il se met à crier, essaie de sortir du lit, s'empêtre dans ses couvertures et s'écroule par terre avec bruit.

Chaque fois, satisfaits du résultat, Stéphanie et moi rentrons ensuite à la maison.

Ce soir, cependant, tandis que nous lançons nos araignées au visage de Fred toujours endormi, Stéphanie se tourne vers moi.

— J'ai une idée épatante, me chuchote-t-elle.

— Qu'est-ce que...

Je m'interromps en entendant Fred se mettre à hurler. Quelques secondes plus tard, il s'écroule avec bruit sur le plancher. Stéphanie et moi échangeons un sourire de triomphe avant de filer au pas de course jusque chez moi. Nous nous arrêtons tout près du chêne planté devant la maison. Son tronc est fendu en deux, mais mon père n'a pas le cœur de l'abattre.

— C'est quoi ton idée? demandé-je à Stéphanie, le souffle court.

Je vois ses yeux briller à la lueur de la lune.

— Chaque fois qu'on sort hanter le voisinage, on s'en prend toujours aux mêmes enfants. Je commence à en avoir assez.

Pas moi, mais je n'en dis rien. Je connais bien Stéphanie. Lorsqu'elle a une idée, elle n'en démord pas.

— Alors tu veux trouver d'autres enfants qu'on pourrait terroriser? déclaré-je.

— Non. Non, je pense plutôt qu'il est temps de relever un nouveau défi, répond Stéphanie en se mettant à tourner autour du chêne.

— Explique-toi.

— Faire peur aux gens en poussant des hurlements lugubres et en lançant des choses par une fenêtre ouverte, c'est trop facile.

— Peut-être, concédé-je, mais c'est amusant.

Sans répondre, Stéphanie passe la tête dans la fente du chêne pour ensuite me demander quel est l'endroit le plus effrayant de la région.

— La Maison de la colline, dis-je sans hésiter.

— Oui. Et qu'est-ce qui rend cet endroit si effrayant ?

— Toutes les histoires de fantômes qu'on raconte à son sujet, mais surtout celle du garçon qui cherche sa tête.

— Exactement ! s'exclame Stéphanie.

Sa tête donne l'impression de flotter dans la fente de l'arbre.

— Le fantôme sans tête, ajoute-t-elle d'une voix grave avant de laisser échapper un éclat de rire lugubre.

— Qu'est-ce qui te prend ? C'est à moi que tu essaies de faire peur maintenant ?

— Il faut qu'on hante la Maison de la colline, chuchote Stéphanie.

— Quoi ? Mais qu'est-ce que tu racontes ?

— On pourrait aller là-bas, se joindre aux autres visiteurs et disparaître en douce une fois à l'intérieur, déclare Stéphanie d'un ton songeur.

— Et pourquoi est-ce qu'on ferait ça ? demandé-je.

Le visage de mon amie semble briller sous l'éclat de la lune.

— Pour chercher la tête du fantôme, répond Stéphanie.

— Tu plaisantes !

Voir sa tête qui donne l'impression de flotter dans la fente du chêne commence à me porter sur les nerfs. Faisant le tour de l'arbre, j'en écarte Stéphanie.

— Je parle sérieusement, réplique Stéphanie en me repoussant. On a besoin d'un nouveau défi. N'importe qui peut se balader dans le voisinage et faire peur à tout le monde. Ce n'est pas difficile.

— Mais tu ne crois tout de même pas qu'il y a une tête à trouver, protesté-je. Tout ça, ce n'est qu'une histoire inventée pour attirer les touristes.

— Tu as peur, avoue-le, dit Stéphanie en me fixant, les yeux plissés.

— Qui ? Moi ?

La lune disparaît derrière un nuage, et tout devient encore plus noir. Un frisson court le long de mon échine. Je resserre mon anorak autour de moi.

— Je n'ai pas peur d'aller fouiller la Maison de la colline, déclaré-je à mon amie, mais je pense que c'est une perte de temps.

— David, tu frissonnes. Tu frissonnes de peur.

— Ce n'est pas vrai ! m'écrié-je. Allons à la Maison de la colline. Tout de suite. Tu vas voir que je n'ai pas peur.

Un large sourire éclaire alors le visage de Stéphanie, qui rejette la tête en arrière et pousse un long hurlement de victoire.

— Ça va être super, tu vas voir ! m'assure-t-elle.

Sans attendre, elle m'entraîne en direction de la Maison de la colline. Je la suis sans un mot. Est-ce que j'ai peur ? Peut-être un peu.

Nous gravissons la colline pour atteindre l'entrée de la vieille maison, qui semble encore plus imposante le soir avec ses trois étages, ses tourelles, ses balcons et ses nombreuses fenêtres dont les volets sont actuellement fermés. Toutes les maisons du coin ont un revêtement de briques ou de planches, à l'exception de celle-ci dont l'extérieur est fait de pierres gris foncé.

Chaque fois que je me tiens devant la Maison de la colline, je ne peux pas m'empêcher de retenir mon souffle. Ses murs sont en effet couverts d'un épais tapis de mousse putride vieux de cent cinquante ans, un tapis de mousse dont l'odeur n'est pas des plus agréables.

Levant les yeux, je contemple le dragon de pierre qui orne le sommet de l'une des tourelles. Son expression figée semble nous mettre au défi d'entrer à l'intérieur. Soudain, mes genoux fléchissent.

La maison n'est éclairée que par une seule lanterne suspendue au-dessus de la porte, mais les visiteurs sont encore les bienvenus. La dernière visite débute à vingt-deux heures trente. Aux dires des guides, les visites de fin de soirée offrent la meilleure occasion d'apercevoir un fantôme.

Mon regard s'arrête sur les mots gravés dans la pierre près de la porte : *ENTREZ DANS LA MAISON DE LA COLLINE, ET VOTRE VIE NE SERA PLUS JAMAIS LA MÊME.*

J'ai déjà vu ce message plusieurs dizaines de fois. D'ordinaire, je le trouve plutôt banal mais amusant. Ce soir, toutefois, il me donne la chair de poule. J'ai un mauvais pressentiment.

— Viens, m'ordonne Stéphanie en me tirant par la main. On est arrivés juste à temps pour la dernière visite.

La lueur de la lanterne vacille tandis que la porte s'ouvre toute seule. Je ne peux pas expliquer comment, mais le lourd battant pivote toujours de lui-même.

— Alors, tu viens ou quoi ? demande Stéphanie avant de franchir le seuil.

— Je te suis, soupiré-je.

Otto nous accueille à l'intérieur. Il me fait toujours penser à une sorte de dauphin avec son crâne lisse. Un dauphin énorme parce qu'il doit bien peser cent trente kilos.

Comme toujours, il est entièrement vêtu de noir. Sa chemise, son pantalon, ses chaussettes, ses chaussures et ses gants sont noirs. Tous les guides portent le même uniforme que lui.

— Stéphanie ! David ! En voilà une bonne surprise ! s'exclame-t-il avec un large sourire.

Ses yeux brillent à la lueur de la lanterne.

— Notre guide préféré, lui répond Stéphanie. On n'est pas en retard pour la dernière visite, j'espère ?

Elle et moi passons devant la boîte où il faut verser le prix d'entrée. Nous venons ici tellement souvent qu'on ne nous demande même plus de payer.

— La visite débute dans cinq minutes environ, déclare Otto. Dites, on n'a pas l'habitude de vous voir ici à une heure aussi tardive.

— Euh... non, répond Stéphanie avec hésitation.

Mais la visite est plus amusante le soir. N'est-ce pas, David?

— Si tu le dis, marmonné-je.

Nous allons rejoindre les autres personnes qui attendent le début de la visite. Ce sont surtout des couples d'adolescents.

Le vestibule où nous nous trouvons est plus vaste que le salon et la salle à manger de la maison que j'habite. Mis à part un escalier tournant au centre, il est entièrement vide et dépourvu de tout meuble.

Je regarde autour de moi. L'éclairage est assuré non pas par des ampoules électriques mais par de petites lampes à huile accrochées aux murs dont la peinture s'écaille. Des ombres dansent sur le plancher. Je fais le compte des autres visiteurs. Il y en a neuf, tous plus vieux que Stéphanie et moi.

Après avoir allumé une lampe à huile de table qu'il prend avec lui, Otto s'approche de notre groupe et se racle la gorge. Stéphanie et moi échangeons un sourire. Otto commence toujours la visite de cette façon. Il est persuadé que son ancienne lampe à huile aide à mettre les gens dans l'ambiance.

— Mesdames et messieurs, soyez les bienvenus dans la Maison de la colline, lance-t-il d'une voix forte. J'espère que vous survivrez à votre visite.

Ceci dit, il laisse échapper un faible rire malveillant.

Tandis qu'il se lance dans ses explications, Stéphanie et moi articulons chaque mot avec lui sans émettre un son.

— En 1845, un jeune capitaine de navire prospère du nom de Pierre-Paul Dumoulin s'est fait bâtir une maison sur la plus haute élévation à proximité de ce qui n'était encore à l'époque qu'une petite ville. Il s'agissait alors de la maison la plus somptueuse jamais construite dans la région avec trois étages, neufs foyers et plus de trente pièces. Le capitaine Dumoulin n'a pas reculé devant la dépense parce qu'il espérait pouvoir se retirer ici et y vivre jusqu'à la fin de ses jours avec sa belle épouse. Mais le destin en a décidé autrement.

Otto laisse échapper un petit rire sans joie, et nous l'imitons en silence. Stéphanie et moi savons exactement ce qu'il va faire et dire.

— Le capitaine Dumoulin a péri en mer lors d'un terrible naufrage avant même d'avoir pu s'installer dans cette magnifique demeure. Sous le poids de l'horreur et du chagrin, sa jeune épouse Isabelle s'est enfuie de la maison.

La voix d'Otto se fait plus douce.

— Peu de temps après son départ, des choses étranges ont commencé à se produire ici.

C'est toujours à ce moment qu'Otto se met à gravir les marches du vieil escalier en bois qui craque et gémit sous son poids. En silence, nous le suivons à l'étage. Stéphanie et moi aimons particulièrement cette partie de la visite parce qu'Otto ne dit pas un mot. Il se contente d'avancer rapidement dans l'obscurité pendant que tout le monde essaie de le suivre.

Il ne se remet à parler qu'en arrivant à la chambre du capitaine Dumoulin, une grande pièce lambrissée ayant vue sur le fleuve.

— Peu de temps après le départ de la veuve du

capitaine, des gens des alentours ont déclaré avoir vu un homme ressemblant au capitaine debout devant cette fenêtre, une lampe à la main.

Otto marche jusqu'à la fenêtre et lève davantage sa lampe à huile.

— Lorsqu'il ne ventait pas la nuit, en tendant l'oreille, on pouvait parfois l'entendre appeler sa femme d'une voix basse et triste.

Notre guide prend une grande inspiration.

— Isabelle, Isabelle, lance-t-il d'une voix douce en déplaçant sa lampe d'un côté puis de l'autre, comme pour mieux scruter l'obscurité.

Tout le monde a les yeux rivés sur lui et l'écoute avec attention.

— Mais l'histoire ne s'arrête évidemment pas là.

Pendant que nous le suivons d'une pièce à l'autre, Otto nous raconte comment le capitaine Dumoulin a hanté la maison pendant une cinquantaine d'années.

— Les gens qui ont habité ici au fil des années ont essayé toutes sortes de choses pour se débarrasser du fantôme, mais sans succès.

Otto relate ensuite l'histoire du garçon à qui le fantôme a arraché la tête.

— Après cela, le fantôme du capitaine a disparu ; mais celui du jeune garçon continue à hanter la maison. Et ce n'est pas tout.

Nous longeons un long corridor faiblement éclairé par de petites lampes à huile fixées aux murs ici et là.

— D'autres événements tragiques se sont produits ici, reprend Otto. Peu après le décès d'Alcide Cloutier, sa sœur Anna, qui avait douze ans à l'époque, a perdu la raison. Allons voir sa chambre.

Et Otto nous entraîne vers la chambre d'Anna. Stéphanie raffole de cet endroit parce qu'Anna collectionnait les poupées en porcelaine et qu'il y en a des dizaines dans sa chambre. Toutes ces poupées ont de longs cheveux blonds, des joues roses et des paupières bleutées.

— Après le décès de son frère, déclare Otto d'une voix étouffée, Anna a perdu la raison. Pendant quatre-vingts ans, elle n'a jamais quitté cette chambre. Elle passait toute la journée à jouer avec ses poupées en se berçant. Elle est morte ici, entourée de ces dernières.

Les lattes du plancher craquent tandis qu'Otto traverse la pièce en direction d'une vieille berceuse. Après avoir déposé sa lampe par terre, notre guide s'assoit sur la berceuse, qui proteste sous son poids. J'ai chaque fois l'impression qu'elle va céder, mais ce n'est jamais le cas. Otto se met à se bercer lentement. Nous le regardons en silence. La berceuse gémit à chaque mouvement.

— Certaines personnes sont convaincues qu'Anna est toujours ici, dit notre guide. Elles affirment avoir vu une jeune fille assise dans cette berceuse, occupée à peigner une poupée... (Otto fait une pause tout en continuant à se bercer, puis reprend son récit.) Et nous en arrivons à la mère d'Anna.

Le guide se relève avec un grognement, reprend sa lampe à huile et nous conduit jusqu'à un escalier au bout du corridor.

— Un peu après le décès de son fils, madame Cloutier a elle aussi connu une fin tragique. Un soir, en descendant cet escalier, elle a perdu pied et a fait une chute mortelle.

Comme à l'habitude, notre guide fixe l'escalier en

secouant tristement la tête. J'aime toujours le voir faire, mais ce n'est pas pour ça que nous sommes venus cette fois-ci. Je sais bien que tôt ou tard, Stéphanie va vouloir fausser compagnie aux autres. Je me mets donc à regarder de tous côtés pour déterminer si c'est le moment de nous éclipser.

C'est alors que j'aperçois un jeune garçon étrange qui nous observe. Je ne l'avais pas vu en entrant. En fait, je suis certain qu'il n'était pas avec le groupe au début de la visite. Je me rappelle que Stéphanie et moi étions les seuls enfants présents.

À peu près de notre âge, ce garçon a des cheveux blonds ondulés et un visage au teint pâle, très pâle. Il porte un jeans et un chandail à col roulé noirs qui le font paraître encore plus livide.

Je m'approche de Stéphanie, qui se tient à l'arrière du groupe.

— Tu es prêt ? me chuchote-t-elle.

Otto descend l'escalier. C'est le moment ou jamais, mais j'hésite. Le garçon que je viens de remarquer a toujours le regard fixé sur nous.

— Non, attends, soufflé-je à Stéphanie. Il y a quelqu'un qui nous regarde.

— Qui ?

— Un garçon plutôt bizarre, là, expliqué-je en tournant les yeux dans sa direction.

Il nous observe toujours et n'essaie même pas de s'en cacher lorsque nos regards se croisent. Pourquoi nous regarde-t-il comme ça ? Quelque chose me dit que nous devrions attendre avant de fausser compagnie au groupe, mais Stéphanie est d'un avis différent.

— Oublie-le, me dit-elle. Il ne peut rien nous faire. Viens !

Nous nous pressons contre le mur et regardons les autres visiteurs descendre l'escalier derrière Otto. Je retiens mon souffle jusqu'à ce que leurs pas s'éloignent à l'étage inférieur. Nous sommes maintenant seuls dans le corridor faiblement éclairé. Je me tourne vers Stéphanie que je distingue à peine.

— Et qu'est-ce qu'on fait maintenant ? demandé-je.

9

— On explore cet endroit tout seuls, déclare Stéphanie en se frottant les mains. Ça va être super!

Je balaie le couloir du regard, me sentant plutôt effrayé qu'excité. Un grognement sourd s'échappe d'une pièce de l'autre côté du corridor. Le plafond craque au-dessus de nous. Le vent secoue les fenêtres de la dernière pièce que nous avons visitée avec le groupe.

— Tu es sûre que...

Je n'ai pas le temps de finir ma question parce que Stéphanie s'éloigne déjà à la hâte en prenant soin de ne pas faire craquer les lattes du plancher.

— Viens, me lance-t-elle dans un murmure. On va se mettre à la recherche de la tête du fantôme. Qui sait? Peut-être qu'on va la trouver.

— J'imagine, oui, dis-je en roulant les yeux.

Je doute que nous trouvions la tête du fantôme. Et puis de quoi est-ce qu'elle aurait l'air après toutes ces années? D'un crâne dénudé? Beurk!

J'emboîte le pas à Stéphanie tout en souhaitant

être ailleurs. J'aime bien hanter le voisinage et faire peur aux autres, mais ça ne m'amuse pas d'être moi-même effrayé.

Stéphanie se dirige vers une pièce que nous avons vue au cours d'autres visites. Un papier peint à motifs de vignes en couvre les murs et même le plafond. Il donne l'impression d'une jungle étouffante. Comment quelqu'un a-t-il pu dormir dans cette chambre ? Nous arrêtant sur le seuil, Stéphanie et moi contemplons la pièce en silence. Otto nous a déjà raconté qu'un événement terrible s'est produit ici il y a une soixantaine d'années.

Deux invités qui dormaient dans cette chambre se sont réveillés les mains et les bras couverts de gros boutons violets qui leur causaient d'effroyables démangeaisons. D'autres boutons sont apparus sur leur visage puis sur tout leur corps. Des médecins de partout dans le monde ont été appelés en consultation. Aucun n'a réussi à guérir les deux victimes.

Quelque chose dans la chambre avait causé cette éruption de boutons, mais on n'a jamais découvert ce que c'était.

C'est du moins ce que racontent Otto et les autres guides. Peut-être est-ce vraiment arrivé. Toutes ces histoires bizarres sont peut-être véridiques. Qui sait ?

— Viens, me lance Stéphanie. Ne perdons pas de temps. Otto ne va pas tarder à découvrir qu'on a quitté le groupe.

Traversant la chambre, elle plonge sous le lit.

— Stéphanie, laisse tomber ! plaidé-je tout en m'approchant d'une commode. Il n'y a pas de tête à trouver ici.

Stéphanie ne m'a pas entendu. Au bout de quelques secondes, elle émerge de sous le lit et se tourne vers moi, le visage rouge.

— David ! s'écrie-t-elle. Je... je...

Les yeux écarquillés par l'horreur, elle porte les mains à son visage.

— Quoi ? Quoi ? dis-je en me précipitant vers elle.

— Ça pique ! Ça pique ! gémit-elle.

Un cri s'étrangle dans ma gorge tandis que Stéphanie se frotte les joues, le front et le menton avec frénésie.

— Ça pique ! C'est insupportable ! déclare-t-elle en se grattant ensuite le cuir chevelu.

Je lui saisis le bras et tire pour qu'elle se relève.

— Tu as besoin d'un docteur, dis-je. Partons d'ici. Je te ramène chez toi. Tes parents vont appeler le docteur et...

Je m'interromps en la voyant se mettre à rire. Je lâche son bras et recule d'un pas. Stéphanie se remet sur pied.

— David, idiot, est-ce que tu vas te laisser prendre chaque fois que quelqu'un te joue un tour stupide ?

— Sûrement pas ! affirmé-je avec colère. J'ai seulement cru que...

— Ce n'est vraiment pas difficile de te faire peur, déclare Stéphanie en me donnant une poussée. Comment as-tu pu te laisser avoir aussi facilement ?

— N'essaie plus de m'avoir avec tes plaisanteries stupides, répliqué-je en la poussant à mon tour. C'est sérieux. J'en ai marre de tes tours idiots, alors laisse tomber.

Stéphanie, cependant, ne m'écoute plus. Son

regard s'est arrêté sur quelque chose derrière moi, et l'étonnement se peint sur son visage.

— Je... je n'arrive pas à y croire, bégaye-t-elle. La tête, elle est là !

Je pousse un cri et me tourne avec tellement de hâte que j'en perds presque l'équilibre. Plissant les yeux, je regarde dans la direction que Stéphanie m'indique du doigt. Il n'y a rien d'autre qu'un chaton de poussière. Je me suis encore laissé avoir.

— Idiot ! glousse Stéphanie.

Je serre les poings en grognant, mais ne dis rien. Je sens le rouge me monter aux joues.

— Avoue que c'est facile de te faire peur, se moque Stéphanie.

— Allons rejoindre les autres, grommelé-je.

— Pas question. On va fouiller la pièce suivante. Viens.

Je reste là sans bouger.

— Je ne te ferai plus peur, c'est promis.

Je vois bien qu'elle a les doigts croisés, mais je la suis tout de même. Qu'est-ce que je pourrais faire d'autre ?

Traversant le couloir, nous entrons dans la chambre d'Alcide, le garçon qui a perdu la tête. Toutes ses affaires s'y trouvent encore. Des jeux et des jouets vieux de cent ans, ainsi qu'une bicyclette en bois appuyée contre un mur. L'endroit est tel qu'il était avant qu'Alcide ne rencontre le fantôme du capitaine.

Une lampe posée sur la commode fait danser des lueurs bleutées sur les murs. Je ne sais pas si je crois ou non à toute cette histoire, mais quelque chose me dit que si la tête d'Alcide se trouve quelque part dans la maison, c'est ici que nous allons la trouver. Sous son lit à baldaquin ou parmi ses jouets.

Stéphanie s'avance sur la pointe des pieds et commence à fouiller parmi les jouets. Je remarque de petites quilles en bois, un jeu de société aux couleurs passées, une collection de soldats de plomb.

— Cherche autour du lit, me chuchote Stéphanie.

— On ne devrait pas toucher à ses affaires. Tu sais bien que les guides ne nous laissent jamais rien toucher.

— Tu veux trouver la tête, oui ou non? demande Stéphanie, une toupie à la main.

— Tu crois vraiment qu'il y a une tête cachée quelque part dans cette maison?

— C'est pour le découvrir qu'on est ici, non?

Ça ne sert à rien de discuter avec elle ce soir. Avec un soupir, je m'approche du lit et passe la tête sous le baldaquin pour l'examiner. Un garçon a dormi ici, sous cette courtepointe, il y a une centaine d'années. Cette pensée fait courir un frisson le long de mon échine. J'essaie d'imaginer un garçon de mon âge dans ce vieux lit imposant.

— Allez, cherche, m'ordonne Stéphanie.

Me penchant, je tapote la courtepointe gris et brun. Elle est froide et lisse au toucher. J'écrase ensuite les oreillers. Rien. Je m'apprête à vérifier le matelas lorsque la courtepointe se met à bouger avec un léger bruissement. Mes yeux s'agrandissent d'horreur alors qu'elle glisse lentement vers le pied du lit.

Il n'y a personne dans ce lit, personne ; mais quelqu'un repousse la courtepointe.

11

J'avale ma salive pour me retenir de crier.

— Il faut que tu te dépêches plus que ça, me presse Stéphanie.

Me retournant, je l'aperçois debout au pied du lit, les mains refermées sur le bord de la courtepointe.

— On n'a pas toute la nuit, ajoute-t-elle en tirant davantage le dessus-de-lit. Il n'y a rien dans le lit. Allons voir ailleurs.

Un soupir m'échappe. Il n'y a pas de fantôme dans ce lit. C'était tout simplement Stéphanie qui tirait le couvre-pied. Cette fois, au moins, elle n'a pas vu jusqu'à quel point j'avais peur.

Ensemble, nous replaçons la courtepointe.

— C'est plutôt amusant, m'affirme Stéphanie avec un sourire.

— Ouais, dis-je en espérant qu'elle ne me voie pas trembler. C'est bien plus amusant que de lancer des araignées en plastique sur Fred Genoît.

— Ça me plaît d'être ici tard le soir sans personne d'autre. Je sens qu'un fantôme se cache tout près.

— Tu... tu en es sûre? bégayé-je en regardant aussitôt autour de moi.

Mon regard s'arrête sur un objet en partie dissimulé dans l'ombre entre la porte et le mur. Un crâne rond dont les orbites vides semblent me fixer.

Je saisis le bras de Stéphanie et pointe le doigt en direction du crâne, mais c'est inutile parce qu'elle a déjà elle aussi aperçu la tête du fantôme.

12

Je suis le premier à bouger, faisant un pas puis un autre en direction de la porte. J'entends quelqu'un haleter tout près derrière moi. Il me faut un moment pour comprendre qu'il s'agit de Stéphanie.

Sans quitter la tête des yeux, je m'en approche avec précaution. Mon cœur se met à battre la chamade tandis que je me penche pour la prendre. Je m'empare de la tête et la soulève lentement, mais elle glisse de mes mains tremblantes.

La tête se met à rouler sur le plancher en direction de Stéphanie, qui laisse échapper une exclamation. À la lueur de la lampe, je découvre que Stéphanie est paralysée par la peur.

Après avoir heurté sa chaussure, la tête s'immobilise à quelques centimètres de Stéphanie. Ses orbites vides sont tournées vers elle.

— David, appelle Stéphanie, les yeux rivés sur la tête et les mains pressées sur les joues. Je... je ne croyais pas vraiment qu'on la trouverait. Je...

Aussitôt, je me précipite vers elle. C'est à mon tour de faire preuve de courage. Voilà ma chance de lui montrer que je ne suis pas une poule mouillée qu'un rien effraie.

Je saisis la tête du fantôme dans mes mains et la soulève. Elle est dure et plus lisse que je ne m'y attendais. Ses orbites sont profondes.

Stéphanie ne me quitte pas d'une semelle tandis que je m'approche de la commode où se trouve la lampe. Je pousse un gémissement en découvrant que ce n'est pas une tête que je tiens. Stéphanie a la même réaction.

13

Une boule de quilles. Ce n'est rien d'autre qu'une vieille boule de quilles en bois pâle dont la surface est écaillée et fendillée.

— Je n'en reviens pas, murmure Stéphanie.

— Cette boule va probablement avec les quilles qu'il y a là-bas, dis-je en tournant la tête vers les jouets d'Alcide.

Stéphanie s'empare de la boule et la tourne entre ses mains.

— Mais elle n'a que deux trous.

— Les boules de quilles étaient faites comme ça à l'époque, déclaré-je. C'est mon père qui me l'a dit une fois qu'on jouait ensemble. Il n'a jamais pu comprendre où les gens mettaient leur pouce pour tenir ce genre de boule.

Stéphanie enfonce ses doigts dans les deux trous que nous avions pris pour les orbites d'un crâne et secoue la tête. Je vois bien qu'elle est déçue.

La voix d'Otto nous parvient de quelque part au rez-de-chaussée.

— Peut-être qu'on ferait mieux de descendre, suggère Stéphanie avec un soupir tandis qu'elle envoie la boule rouler en direction du tas de jouets.

— Pas question ! m'exclamé-je, heureux d'avoir pour une fois la chance de me montrer plus courageux qu'elle.

— Il se fait tard, insiste Stéphanie, et on ne trouvera pas de tête ici.

— C'est parce qu'on a déjà visité ces chambres des dizaines de fois. Je crois qu'on devrait trouver une pièce qu'on n'a pas encore explorée.

Stéphanie fronce les sourcils, l'expression songeuse.

— Voudrais-tu dire que...

— Je veux dire que la tête est probablement cachée dans une pièce qui n'est pas accessible aux visiteurs. Peut-être au dernier étage, par exemple.

— Tu veux monter au dernier étage ? demande Stéphanie en écarquillant les yeux.

— Oui, pourquoi pas ? C'est sans doute là que tous les fantômes se tiennent, tu ne crois pas ?

Mon amie m'examine, son regard plongé dans le mien. Je sais bien que la témérité de mon idée la surprend. En fait, je ne me sens pas très téméraire, mais je veux l'impressionner. Je veux me montrer plus audacieux qu'elle pour une fois, mais j'espère qu'elle va refuser et insister pour que nous redescendions. Au contraire, elle accepte ma suggestion avec un large sourire.

14

Et voilà, je vais devoir continuer à me montrer courageux. Tout comme Stéphanie d'ailleurs.

Nous marchons en direction de l'escalier qui mène au dernier étage. Un panneau fixé au mur porte la mention « INTERDIT AUX VISITEURS ». Sans en tenir compte, nous commençons à gravir l'escalier côte à côte.

Je n'entends plus la voix d'Otto. Seuls me parviennent le craquement des marches sous nos pas et les battements réguliers de mon cœur. L'air se fait plus chaud et plus humide lorsque nous atteignons le haut de l'escalier.

Plissant les yeux, je découvre un long couloir où ne brillent ni lampes ni chandelles. Une fenêtre tout au bout baigne le couloir d'une pâle et étrange lumière bleutée.

— Commençons par cette pièce, suggère Stéphanie dans un souffle avant de repousser ses cheveux de son visage.

Il fait tellement chaud ici que mon front est couvert de sueur. Je l'éponge avec la manche de mon anorak, puis emboîte le pas à Stéphanie, qui se dirige vers la première pièce à notre droite.

La porte en est entrouverte. Nous nous glissons à l'intérieur. La faible lueur du clair de lune filtre à travers les carreaux des fenêtres couverts de poussière.

J'attends que mes yeux s'y habituent, puis je balaie la pièce du regard. L'endroit est vaste et vide. Il n'y a aucun meuble ni aucun signe de vie... ni aucun fantôme.

— Stéphanie, regarde, dis-je en pointant le doigt vers une étroite porte au fond de la pièce. Allons jeter un coup d'œil.

Nous avançons à pas de loup sur le plancher nu. À travers l'une des fenêtres crasseuses, j'aperçois la lune suspendue au-dessus des arbres dépouillés de leurs feuilles.

La porte du fond mène à une seconde pièce plus petite que la première, où il fait encore plus chaud. Il y a un radiateur à eau le long d'un mur (je l'entends gargouiller) et deux divans d'un style démodé qui se font face au milieu de la pièce. C'est tout.

— Continuons, me souffle Stéphanie.

Nous franchissons une autre porte étroite, qui débouche elle aussi sur une pièce ténébreuse.

— Toutes les pièces de cet étage communiquent entre elles, murmuré-je avant d'éternuer une fois puis une autre.

— Ne fais pas tant de bruit, me réprimande Stéphanie. Les fantômes vont nous entendre.

— Ce n'est pas ma faute si toute cette poussière

me fait éternuer, protesté-je.

Nous nous trouvons dans une espèce de salle de couture. Une vieille machine à coudre est installée devant la fenêtre, et je remarque par terre une boîte remplie de pelotes de laine noire. Me penchant, je plonge la main dans la boîte et la promène en tous sens. Il n'y a rien de dissimulé à l'intérieur. La tête n'est pas là.

Nous passons dans la pièce suivante, où l'obscurité est presque totale. Seul un tout petit carré de lumière blafarde y entre de l'extérieur.

— Je... j'y vois rien, déclare Stéphanie, dont je sens la main se refermer sur mon bras. Il fait trop noir. Sortons d'ici.

J'ouvre la bouche pour répliquer, mais un bruit sourd se fait entendre, et les mots s'étranglent dans ma gorge. Stéphanie me serre la main.

— David, c'est toi qui a fait ce bruit ?

Boum ! Le bruit était plus près de nous cette fois.

— Non, dis-je. Non, ce n'est pas moi.

Boum ! Encore le même bruit.

— On n'est pas seuls ici, me souffle Stéphanie.

Je prends une profonde inspiration.

— Qui êtes-vous ? lancé-je ensuite. Qui est là ?

15

— Qui est là ? répété-je d'une voix étranglée.

Stéphanie me serre le bras tellement fort qu'elle me fait mal, mais je ne fais rien pour m'éloigner d'elle.

J'entends des pas légers comme ceux d'un fantôme. Les poils se dressent sur ma nuque. Je serre les mâchoires pour empêcher mes dents de claquer.

Deux yeux jaunes se détachent de l'obscurité et s'avancent vers nous. Non, pas deux, mais plutôt quatre. La créature qui approche a quatre yeux. Un son étouffé s'échappe de ma gorge. Je n'arrive plus à respirer, et je suis incapable de bouger.

Le regard fixé droit devant moi, je tends l'oreille. Les yeux s'écartent deux par deux. Une paire se dirige vers la gauche et l'autre, vers la droite.

— Nooon ! crié-je en voyant surgir d'autres yeux dans l'obscurité.

J'en aperçois dans les différents angles de la pièce, le long des murs et ailleurs tout autour de nous. Stéphanie et moi nous serrons l'un contre l'autre au centre de la pièce, entourés par toutes ces paires d'yeux qui nous regardent fixement et me font songer à des yeux de chats.

Des yeux de chats. Bien sûr! La pièce est remplie de chats.

Un long miaulement aigu fuse de l'appui de la fenêtre. J'avais deviné juste. Stéphanie et moi soupirons tous deux de soulagement.

Un chat me frôle la jambe. Surpris, je m'écarte d'un bond et heurte Stéphanie, qui me repousse aussitôt. D'autres miaulements se font entendre. Je sens le contact d'un autre chat contre ma jambe.

— On... on dirait que ces chats s'ennuient, balbutie Stéphanie. Peut-être que personne ne vient jamais ici.

— Je m'en fous, répliqué-je d'un ton brusque. Tous ces yeux jaunes qui flottaient dans le noir: j'ai cru... Je ne sais plus exactement ce que j'ai cru, mais je sais que j'en ai marre de cet endroit. Allons-nous-en.

Pour une fois, Stéphanie ne proteste pas. Passant devant, elle se dirige vers la porte au fond de la pièce. Tout autour de nous, les chats miaulent. L'un d'entre eux vient frôler ma jambe.

Stéphanie trébuche contre un autre et tombe lourdement à genoux. Les chats se mettent à pousser des cris perçants.

— Tu n'as rien? demandé-je à Stéphanie en m'empressant de l'aider à se relever.

Les chats font tellement de bruit que je n'arrive pas à entendre sa réponse. Nous courons jusqu'à la porte, l'ouvrons et sortons de la pièce pour ensuite refermer le battant derrière nous. Le silence nous enveloppe.

— Où est-ce qu'on est ? chuchoté-je.

— Je... j'en sais rien, répond Stéphanie tout en longeant le mur.

Je m'approche d'une haute fenêtre étroite et jette un coup d'œil à travers l'un des carreaux poussiéreux. De l'autre côté se trouve un petit balcon, qui fait saillie par rapport à la pente du toit de bardeaux.

La fenêtre laisse entrer la lumière blafarde du clair de lune. Je regarde autour de moi. Nous sommes dans un long couloir dont je n'arrive pas à apercevoir l'extrémité.

— Ce passage est plus étroit que les autres, dis-je à Stéphanie. Peut-être que les pièces de chaque côté servent au personnel. Tu sais. Le gardien de nuit, les employés d'entretien, les guides.

Stéphanie pousse un soupir tout en scrutant le couloir du regard.

— Descendons rejoindre Otto et les autres, finit-elle par décider. Je pense qu'on a assez exploré cet endroit pour aujourd'hui.

Ce n'est pas moi qui vais dire le contraire.

— Il y a sûrement un escalier au bout du couloir, déclaré-je. Allons-y.

Je n'ai fait que quelques pas lorsque je sens des mains sèches, collantes et invisibles me toucher le visage, le cou. Ces mains s'accrochent à moi, me repoussent.

— Au secours ! gémit Stéphanie, elle aussi retenue par les fantômes.

16

Je sens des doigts au contact sec et léger se refermer sur moi. À mes côtés, Stéphanie agite les mains en tous sens pour tenter de se libérer.

— On... on dirait un filet, dit-elle d'une voix étranglée.

Je me passe la main sur le visage, dans les cheveux. Je pivote, mais les doigts ne lâchent pas prise. Au contraire.

Tandis que j'essaie frénétiquement de me libérer, je comprends soudain que nous avons affaire non pas à des fantômes mais à une épaisse couche de toiles d'araignée qui nous enveloppent tel un filet de pêche. Plus nous nous débattons, plus nous nous y empêtrons.

— Ce sont des toiles d'araignée ! crié-je à Stéphanie pour ensuite arracher une épaisse masse de fils qui me colle au visage.

— Évidemment que ce sont des toiles d'araignée, réplique mon amie tout en continuant à remuer. Qu'est-ce que tu croyais ?

— Euh... je croyais que c'était un fantôme, marmonné-je.

— Ce n'est vraiment pas l'imagination qui te manque, ricane Stéphanie. Mais si tu commences à voir des fantômes partout, on ne sortira jamais d'ici.

— Je... je... dis-je avant de renoncer parce que je ne sais pas quoi répliquer.

Stéphanie aussi croyait que nous avions affaire à un fantôme. Elle ne veut tout simplement pas l'admettre.

Nous arrachons les fils d'araignée collants qui nous couvrent le visage, les bras, le corps. Un grognement de frustration s'échappe de mes lèvres. Je n'arrive pas à enlever les toiles d'araignée qui collent à mes cheveux.

— Je vais avoir des démangeaisons pendant des jours, gémis-je.

— Et ce n'est pas la seule mauvaise nouvelle, murmure Stéphanie.

— Que... quoi ? dis-je tout en me débarrassant d'une poignée de fils qui pendaient à mon oreille.

— À ton avis, qui a tissé ces toiles ? demande Stéphanie.

— Des araignées ?

La réponse me semble assez évidente.

Le dos se met à me démanger. Je sens des picotements sur mes jambes, mes bras, ma nuque. Est-ce que des araignées, des centaines d'araignées seraient en train de courir sur moi ?

Sans plus me préoccuper des toiles d'araignée, je me mets à courir. Ayant eu la même idée, Stéphanie m'emboîte le pas. Nous fonçons vers l'extrémité du couloir en nous grattant et en nous frottant le corps.

— La prochaine fois que tu auras une idée épatante, dis-je à Stéphanie, garde-la pour toi.

— Contentons-nous de sortir d'ici, réplique Stéphanie.

Nous arrivons enfin au bout du corridor, mais il n'y a pas d'escalier. Comment allons-nous redescendre ?

Un autre couloir s'ouvre sur la gauche. Des lampes à huile fixées au mur près de chaque porte jettent de faibles lueurs qui dansent sur la moquette usée.

— Par ici, lance Stéphanie en me tirant par le bras.

Nous n'avons pas vraiment d'autre choix que de suivre ce couloir. Toutes les pièces qui le flanquent sont noires et silencieuses. Notre ombre s'étire devant nous tandis que nous avançons au pas de course, comme si elle avait hâte de quitter cet endroit.

Je m'arrête soudain en entendant un éclat de rire.

— Oh ! fait Stéphanie, le souffle court et les yeux écarquillés par l'étonnement.

Nous tendons l'oreille. J'entends des voix. Elles proviennent de la pièce tout au bout du couloir. Un homme dit quelque chose que je n'arrive pas à comprendre parce que la porte est fermée. Une femme se met à rire. D'autres personnes l'imitent.

— Nous avons retrouvé les autres, chuchoté-je.

— Mais cet étage ne fait jamais partie de la visite, proteste Stéphanie, les sourcils froncés.

Nous avançons jusqu'à l'entrée de la pièce et

tendons l'oreille. Des rires fusent encore une fois de l'autre côté de la porte. Plusieurs personnes parlent en même temps avec animation. On dirait une fête.

— Je pense que la visite est terminée et que les gens ont simplement décidé de rester un moment à bavarder, déclaré-je après avoir collé mon oreille contre le battant.

— Alors, dépêche-toi. Ouvre la porte qu'on les rejoigne, me presse Stéphanie.

— J'espère qu'Otto ne nous demandera pas où on était.

Je tourne la poignée de la porte et pousse le battant. Stéphanie et moi nous avançons d'un pas, puis laissons échapper une exclamation de surprise.

17

La pièce est vide. Vide, obscure et silencieuse.

— Qu'est-ce que... Où sont-ils passés ? s'écrie Stéphanie.

Nous faisons un autre pas à l'intérieur de la pièce, et le plancher craque sous notre poids. Aucun autre bruit ne trouble le silence.

— Je ne comprends pas, murmure Stéphanie. On a bien entendu des voix qui provenaient d'ici, non?

— Oui, et même plusieurs, confirmé-je. On aurait vraiment juré qu'il y avait une fête ici.

— Une grosse fête, ajoute Stéphanie en balayant la pièce vide du regard. Avec tout plein de gens.

Un frisson court le long de mon échine.

— Je ne crois pas que c'étaient des gens, soufflé-je.

— Hein? fait Stéphanie en se retournant vers moi.

— Ce n'étaient pas des gens, dis-je d'une voix rauque. C'étaient des fantômes.

Stéphanie me dévisage, bouche bée.

— Et ils ont tous disparu lorsqu'on a ouvert la porte?

— Exactement, acquiescé-je. Je... j'ai l'impression de sentir encore leur présence ici.

— De sentir leur présence? répète Stéphanie d'une voix apeurée. Qu'est-ce que tu veux dire?

À ce moment, un souffle froid balaye la pièce, me glaçant des pieds à la tête. Je vois Stéphanie frissonner en serrant les bras autour de son corps.

— Aaah! Tu as senti ce coup de vent? me demande-t-elle. Est-ce que la fenêtre est ouverte? Pourquoi est-ce que la température a baissé comme ça tout d'un coup?

Elle frissonne de nouveau, puis ajoute d'une toute petite voix:

— On n'est pas seuls ici, n'est-ce pas?

— C'est ce que je crois, répliqué-je. Je pense qu'on a joué les trouble-fête sans le vouloir.

Nous restons là dans cette pièce glacée, sans oser bouger. Il y a peut-être un fantôme juste derrière nous. Les fantômes que nous avons entendus sont peut-être là tout autour de nous à nous observer. Et ils se préparent à sauter sur nous.

— Que va-t-il se passer si on a vraiment troublé la fête des fantômes? soufflé-je. Si on est dans leurs appartements?

Stéphanie avale péniblement sa salive, mais ne dit mot.

Alcide a perdu la tête après être entré sans le savoir là où habitait le fantôme du capitaine Dumoulin. Sommes-nous dans la même pièce où il a rencontré ce fantôme?

— Stéphanie, je pense qu'on ferait mieux de sortir d'ici, dis-je à voix basse. Et tout de suite.

Je voudrais courir, dévaler l'escalier à toute allure et quitter cette maison pour me précipiter chez moi, où il fait chaud et où il n'y a pas de fantômes. Nous retournant, nous fonçons vers la porte. Les fantômes vont-ils essayer de nous retenir ? Non. Nous voilà sortis de la pièce. Je referme aussitôt la porte derrière nous.

— L'escalier ! s'exclame Stéphanie. Où est l'escalier ?

Le corridor se termine en effet par un mur recouvert d'un papier peint dont les fleurs semblent s'ouvrir et se refermer à la lueur vacillante des lampes à huile. Je frappe le mur de mes deux poings.

— Comment est-ce qu'on va sortir d'ici ?

Stéphanie a déjà ouvert une porte de l'autre côté du passage. Je lui emboîte le pas tandis qu'elle en franchit le seuil.

— Oh non !

Des silhouettes spectrales remplissent la pièce. Il me faut quelques secondes pour prendre conscience qu'il s'agit de fauteuils, de divans et d'autres meubles recouverts de draps.

— Peut... peut-être que c'est le salon des fantômes, balbutié-je.

Stéphanie ne m'a pas entendu. Elle fonce déjà vers une porte ouverte au fond de la pièce. Je la suis dans une autre pièce où d'énormes caisses s'empilent presque jusqu'au plafond. Cette pièce débouche sur une autre, qui donne sur une autre.

Mon cœur se met à battre la chamade, et j'ai la

gorge serrée. Je me demande avec découragement si nous parviendrons jamais à trouver l'escalier.

— Hé, Stéphanie, chuchoté-je, je crois qu'on tourne en rond.

Nous franchissons encore une autre porte. Devant nous s'ouvre un couloir tortueux lui aussi éclairé par des appliques à huile et décoré d'un papier peint à motifs floraux. Nous le longeons côte à côte au pas de course jusqu'à ce qu'apparaisse une porte que nous n'avons pas vue précédemment. Une porte ornée d'un fer à cheval. Peut-être est-ce un signe que la chance va enfin nous sourire. Je l'espère !

Je saisis la poignée d'une main tremblante et ouvre le battant pour découvrir une cage d'escalier.

— Hourra ! m'écrié-je.

— Enfin ! déclare Stéphanie.

— C'est probablement l'escalier qu'utilisaient les domestiques, dis-je. Peut-être qu'on était tout simplement à l'étage habité autrefois par les domestiques.

L'escalier disparaît dans l'obscurité et semble raide. Je descends la première marche puis la deuxième en me retenant au mur. La main sur mon épaule, Stéphanie me suit en descendant au même rythme que moi.

Le bruit léger de nos pas résonne dans la cage d'escalier. Nous avons descendu une dizaine de marches environ lorsqu'un autre bruit me parvient. Quelqu'un monte à notre rencontre.

18

Stéphanie me heurte avec force. Étendant les bras, j'appuie une main sur le mur de chaque côté pour éviter de perdre l'équilibre et de dégringoler dans l'escalier.

Les pas se rapprochent. Nous n'avons pas le temps de faire demi-tour pour nous enfuir. Le faisceau d'une lampe de poche s'arrête sur Stéphanie puis sur moi. Plissant les yeux, j'aperçois une silhouette sombre qui monte vers nous.

— Ah, enfin, je vous trouve ! lance une voix forte qui résonne dans la cage d'escalier.

Une voix que Stéphanie et moi reconnaissons aussitôt.

— Otto ! nous écrions-nous en chœur.

Le guide s'arrête à quelques marches de nous et dirige le faisceau de sa lampe de poche sur mon visage puis sur celui de Stéphanie.

— Que faites-vous ici ? nous demande-t-il, hors d'haleine.

— Euh... on s'est perdus, m'empressé-je de répondre.

— On regardait ailleurs, et le temps qu'on se retourne, le groupe avait disparu, ajoute Stéphanie. On a essayé de vous retrouver...

— Oui. On vous a cherchés partout, confirmé-je, mais on n'a pas réussi à vous trouver.

Otto baisse sa lampe de poche et plisse les yeux sans cesser de nous dévisager. J'ai l'impression qu'il ne croit pas un mot de notre histoire.

— Je croyais que vous connaissiez tous les détails de la visite par cœur, dit-il en se frottant le menton.

— C'est le cas, insiste Stéphanie. Mais on n'arrivait pas à s'orienter et...

— Comment avez-vous abouti au dernier étage? demande Otto.

— Eh bien... commencé-je sans en dire plus parce que je n'arrive pas à trouver une réponse satisfaisante.

Je me tourne vers Stéphanie, qui occupe la marche au-dessus de celle sur laquelle je me tiens.

— On a entendu des voix là-haut, explique-t-elle à Otto, et on a cru que c'était vous et le reste du groupe.

Ce qui n'est pas tout à fait faux puisque nous avons bel et bien entendu des voix.

Otto dirige le faisceau de sa lampe de poche vers le bas de l'escalier.

— Oui, bon, enfin. Descendons. Personne n'est autorisé à monter au dernier étage.

— Désolé, murmuré-je en même temps que Stéphanie.

— Prenez garde en descendant, nous recommande Otto. Cet escalier de service est plutôt raide et pas très solide. Je vais vous conduire à l'endroit où se trouve le groupe. Éva est venue me remplacer pour que je puisse vous chercher sans avoir à interrompre la visite.

Éva vient en seconde place sur la liste de nos guides préférés. Âgée, elle a les cheveux blancs et paraît très pâle et frêle, surtout lorsqu'elle est vêtue de son uniforme noir. Les visiteurs ne se lassent cependant jamais de l'écouter, et personne ne peut s'empêcher de croire toutes les histoires qu'elle raconte de sa voix éraillée.

Stéphanie et moi nous empressons de descendre l'escalier à la suite d'Otto. Parvenus au deuxième étage, nous quittons l'escalier. Otto nous entraîne ensuite le long d'un corridor que je connais très bien.

Nous nous arrêtons bientôt à l'entrée du bureau de Joseph Cloutier, le père d'Alcide. Je jette un coup d'œil à l'intérieur. Un bon feu brûle dans l'âtre de la cheminée.

Éva est là debout près du foyer. Elle raconte aux autres visiteurs de notre groupe le destin tragique de Joseph Cloutier. Stéphanie et moi avons entendu cette histoire des dizaines de fois.

Un an après que son fils Alcide a perdu la tête, Joseph Cloutier est revenu chez lui tard un soir d'hiver. Il a enlevé son pardessus, puis s'est approché du foyer pour se réchauffer.

Personne ne sait exactement ce qui s'est passé ensuite. C'est du moins ce qu'affirment Otto, Éva et leurs collègues. Joseph Cloutier a-t-il fait une chute ou a-t-il été poussé vers les flammes? On ne le saura sans doute jamais.

En entrant dans le bureau le matin suivant, la bonne a découvert un spectacle affreux. Celui de deux mains noircies et calcinées serrant avec force le manteau en marbre de la cheminée. Il ne restait rien d'autre de Joseph Cloutier.

C'est une histoire plutôt dégueulasse, non? Elle me donne la chair de poule chaque fois que je l'entends.

Éva arrive justement à la partie la plus dégoûtante de l'histoire. La fin.

— Voulez-vous continuer la visite? nous demande Otto à voix basse.

— Il se fait tard. Je crois qu'on ferait mieux de rentrer à la maison, répond Stéphanie.

Je m'empresse d'en dire autant.

— Merci d'être venu nous chercher. On reviendra bientôt.

— Bonne nuit, nous souhaite Otto tout en éteignant sa lampe de poche. Vous connaissez le chemin.

Sans attendre, il entre dans le bureau.

Je m'apprête à m'éloigner lorsque j'aperçois de nouveau l'étrange garçon blond que j'avais remarqué précédemment. Le garçon vêtu d'un jeans et d'un chandail noirs.

Il se tient à l'écart du groupe, près de la porte. Cette fois encore, il nous observe, Stéphanie et moi, avec une expression froide et détachée.

— Viens, soufflé-je à Stéphanie en lui saisissant le bras.

Je la tire loin de la porte, et nous gagnons rapidement l'escalier principal. Quelques secondes plus tard, nous franchissons la porte qui débouche sur l'extérieur. Un vent froid nous fouette le visage tandis que nous descendons la colline. De minces nuages noirs passent devant la lune à la manière de serpents.

— Eh bien, c'était amusant, non? déclare Stéphanie avant de monter la fermeture éclair de son blouson.

— Amusant? Moi, j'ai trouvé ça un peu effrayant.

— Mais on n'a pas eu peur, n'est-ce pas? réplique Stéphanie avec un sourire.

— Non, dis-je en frissonnant.

— J'aimerais bien revenir et explorer encore la maison, affirme Stéphanie. On pourrait peut-être retourner dans la pièce où on a entendu des voix et trouver de vrais fantômes.

— Si ça peut te faire plaisir, acquiescé-je.

Je me sens plutôt fatigué, et je n'ai pas envie de me disputer avec elle.

Stéphanie tire une écharpe de laine de la poche de son blouson. Tandis qu'elle l'enroule autour de son cou, l'une des extrémités s'accroche à la branche d'un cèdre.

— Hé ! s'exclame Stéphanie.

Je m'approche et entreprends de détacher son écharpe du conifère. C'est alors que j'entends une voix de l'autre côté du cèdre. Il ne s'agit guère plus que d'un murmure, mais il me parvient clairement.

— Avez-vous trouvé ma tête? demande la voix. Avez-vous trouvé ma tête? L'avez-vous trouvée pour moi?

19

Les yeux fixés sur le cèdre, je laisse échapper une exclamation de surprise.

— Stéphanie, tu as entendu ? dis-je d'une voix étouffée sans obtenir de réponse. Stéphanie ? Hé ! Stéphanie ?

Me retournant, je la découvre qui regarde dans ma direction, bouche bée.

— Tu as entendu cette voix ? lui demandé-je une nouvelle fois.

Soudain, je prends conscience que ce n'est pas moi qu'elle regarde. Je me retourne aussitôt et aperçois alors l'étrange garçon blond de tout à l'heure. Il se tient là, debout près du cèdre.

— Hé ! c'est toi qui murmurais à l'instant ? lui demandé-je d'un ton brusque.

— Qui ? Moi ? réplique-t-il en plissant ses yeux gris pâle.

— Oui, toi, dis-je. Tu essayais de nous faire peur ou quoi ?

Il secoue la tête.

— Jamais de la vie!

— Ce n'est pas toi qui nous as parlé de derrière ce conifère? insisté-je.

— Non, je viens tout juste d'arriver, nous assure-t-il.

Nous l'avons vu il y a quelques instants à peine dans le bureau de Joseph Cloutier. Comme a-t-il pu sortir de la maison aussi rapidement?

— Pourquoi est-ce que tu nous as suivis? s'enquiert Stéphanie tout en enfonçant son écharpe sous le collet de son blouson.

Le garçon se contente de hausser les épaules.

— Pourquoi est-ce que tu n'arrêtais pas de nous regarder? lui demandé-je en me rapprochant de Stéphanie.

Le vent siffle autour de nous. Les cèdres plantés en rang s'agitent comme s'ils frissonnaient. De minces nuages noirs défilent toujours devant la lune.

L'inconnu ne porte ni veste ni manteau par-dessus son chandail à col roulé. Le vent ébouriffe ses longs cheveux ondulés.

— On a bien vu que tu nous regardais, déclare Stéphanie. Alors explique-toi.

L'autre hausse les épaules une autre fois. Il garde les yeux baissés.

— Je vous ai vus fausser compagnie au reste du groupe, dit-il. Et je me demandais si... si vous aviez vu quelque chose d'intéressant.

— On s'est perdus, lui déclaré-je en lançant un regard à Stéphanie. On n'a pas vu grand-chose.

— Comment t'appelles-tu? demande Stéphanie.

— Robert.

Nous nous présentons à notre tour.

— Tu habites par ici ? s'informe ensuite Stéphanie.

— Non, répond Robert avec un hochement de tête en fixant toujours le bout de ses chaussures. Je suis seulement en visite dans la région.

Pourquoi ne nous regarde-t-il pas dans les yeux ? Est-ce seulement parce qu'il est timide ?

— Tu es sûr que ce n'est pas toi qu'on a entendu murmurer de l'autre côté de ce cèdre ? lui demandé-je une nouvelle fois.

— Absolument, affirme-t-il. C'était peut-être quelqu'un qui voulait vous jouer un tour.

— Peut-être, dis-je.

M'approchant du cèdre, je le frappe du pied sans bien savoir à quoi je m'attends. Il ne se passe rien.

— Stéphanie et toi, vous êtes allés explorer la maison tout seuls ? demande Robert.

— Oui, un peu, avoué-je. On s'intéresse aux fantômes.

À ces mots, Robert relève brusquement la tête. Ses étranges yeux gris pâle se posent sur Stéphanie, qu'il étudie un long moment avant de tourner son regard vers moi.

Son visage jusque-là dénué d'expression trahit maintenant une vive agitation.

— Voulez-vous voir de vrais fantômes ? demande-t-il en nous fixant du regard.

Robert continue à nous dévisager comme s'il nous mettait au défi d'accepter.

— Est-ce que vous voulez voir de vrais fantômes ?

— On voudrait bien, oui, déclare Stéphanie en soutenant son regard.

— Est-ce que tu veux dire que tu as déjà vu de vrais fantômes ? demandé-je.

— Oui, répond Robert avec un hochement de tête. Là, à l'intérieur.

Du geste, il nous montre l'imposante demeure de pierre.

— Quoi ? m'exclamé-je. Tu as vu un vrai fantôme dans la Maison de la colline ? Quand ?

— David et moi, on a visité cette maison des dizaines de fois, et on n'a jamais vu aucun fantôme à l'intérieur, déclare Stéphanie.

— Bien sûr que non, ricane Robert. Vous ne croyez tout de même pas que les fantômes se promènent dans la maison pendant les heures d'ouverture ! Ils attendent que tous les visiteurs soient partis et que l'endroit soit désert.

— Et comment peux-tu savoir ça ? demandé-je.

— Je suis entré à l'intérieur tard un soir, après la dernière visite.

— Quoi ? Comment t'y es-tu pris ?

— J'ai trouvé une porte à l'arrière qui n'était pas verrouillée, explique Robert. Peut-être que plus personne ne se souvient qu'elle existe. Je suis donc entré dans la maison après que tout le monde a été parti et je...

Il s'interrompt brusquement, les yeux fixés sur la maison.

Me retournant, je vois s'ouvrir la porte principale. Plusieurs personnes sortent de la maison et boutonnent leur manteau ou remontent la fermeture éclair de leur blouson. La dernière visite est terminée, et les gens rentrent chez eux.

— Par ici ! chuchote Robert.

Il nous entraîne précipitamment derrière la rangée de cèdres, où nous nous accroupissons. Les autres membres de notre groupe passent devant la rangée de conifères sans nous voir. Ils rient et parlent entre eux de la maison et de toutes les histoires qu'ils viennent d'entendre.

Lorsqu'ils se sont suffisamment éloignés, nous nous redressons. Robert repousse ses longs cheveux, mais le vent les rabat aussitôt sur son front.

— Je me suis glissé dans la maison un soir lorsque toutes les lumières étaient éteintes à l'intérieur, nous répète-t-il.

— Tes parents t'ont laissé sortir à une heure pareille ? m'étonné-je.

Son visage se pare d'un étrange sourire.

— Ils ne savaient pas que j'étais sorti, dit-il d'une voix douce avant de perdre son sourire. Et vous ? Vos parents vous ont laissés sortir ?

— Ils ne savent pas non plus qu'on est sortis, répond Stéphanie.

— Bon.

— Et tu as vraiment vu un fantôme ? demandé-je.

Robert hoche la tête et repousse de nouveau ses cheveux.

— Une fois à l'intérieur, je me suis dirigé vers le vestibule. J'ai vu le gardien de nuit ; il dormait si profondément qu'il ronflait. Je suis passé devant lui sans faire de bruit. Je me tenais au pied du grand escalier lorsque j'ai entendu un rire.

— Un rire ? dis-je après avoir avalé ma salive avec peine.

— Oui. Il provenait du sommet de l'escalier. J'ai reculé contre le mur et ai levé les yeux. C'est alors que j'ai vu le fantôme d'une très vieille dame vêtue d'une longue robe et d'un bonnet noir. Son visage était caché par un épais voile noir, mais j'ai tout de même vu ses yeux parce qu'ils avaient un éclat rouge comme si c'étaient des charbons ardents.

— Ouah ! s'exclame Stéphanie. Qu'est-ce que tu as fait ?

Robert se tourne vers la maison dont la porte principale est maintenant fermée. Quelqu'un a éteint la lanterne au-dessus de l'entrée, et la demeure est plongée dans l'obscurité.

— Le fantôme a commencé à hurler en glissant le long de la rampe d'escalier, raconte Robert. Tandis qu'il descendait, ses yeux laissaient une traînée brillante comme celle d'une comète.

— As-tu eu peur? demandé-je. Tu as sûrement essayé de t'enfuir, non?

— Je n'en ai pas eu le temps, répond Robert. Le fantôme se dirigeait droit vers moi en criant à la manière d'un animal fou. Je suis resté collé contre le mur, incapable de faire un geste. J'étais certain que le fantôme se jetterait sur moi une fois arrivé au pied de l'escalier, mais il a tout simplement disparu dans l'obscurité. Il ne restait plus rien qu'une faible trace de la traînée laissée par ses yeux.

— Ouah! fait encore Stéphanie.

— Fantastique! fais-je.

— J'ai l'intention de me glisser une autre fois à l'intérieur, déclare Robert, les yeux fixés sur la maison. Je parie qu'il y a d'autres fantômes dans cette maison, et je meurs d'envie de les voir.

— Moi aussi! s'exclame Stéphanie avec enthousiasme.

Robert lui sourit.

— Alors tu vas venir avec moi? Demain soir? Je ne veux pas retourner à l'intérieur tout seul. Ce serait beaucoup plus chouette si tu venais avec moi.

Une bourrasque de vent balaie les alentours. Les nuages s'amoncellent devant la lune et en masquent la lumière. Au sommet de la colline, la vieille maison semble devenir encore plus sombre.

— Alors, tu vas venir avec moi demain soir? insiste Robert.

— Absolument, répond Stéphanie. Je ne manquerais pas ça. Et toi, David? (Elle se tourne vers moi.) Tu vas venir aussi, n'est-ce pas?

21

Je réponds par l'affirmative. Je lui dis que j'ai bien hâte de voir un véritable fantôme. J'ajoute que c'est le vent qui me fait frissonner et non la peur.

Nous convenons de nous rencontrer derrière la Maison de la colline demain soir à minuit. Robert s'éloigne ensuite d'un bon pas, tandis que Stéphanie et moi repartons chez nous.

La rue est déserte. Toutes les lumières sont éteintes à l'intérieur de la plupart des maisons. Au loin, un chien hurle.

Stéphanie et moi marchons d'un pas rapide en courbant le dos pour nous protéger du vent. Nous n'avons pas l'habitude de rentrer à une heure aussi avancée, et nous allons nous coucher encore plus tard demain soir.

— Ce gars ne m'inspire pas confiance, dis-je à Stéphanie lorsque nous arrivons devant chez elle. Je le trouve trop bizarre.

Je m'attends à ce qu'elle abonde dans mon sens.

— Tu es jaloux, c'est tout, déclare Stéphanie.

— Quoi ? Moi ? Jaloux ? (Je n'arrive pas à croire qu'elle a dit ça.) Pourquoi est-ce que je serais jaloux ?

— Parce que Robert a beaucoup de courage et parce qu'il a vu un fantôme et pas nous.

Je secoue la tête.

— Tu veux dire que tu crois à son histoire de fantôme ? dis-je. Selon moi, il l'a inventée, purement et simplement.

— On le découvrira bien demain soir, réplique Stéphanie avec un air pensif.

La journée du lendemain passe trop rapidement.

En après-midi, j'ai un examen de mathématiques. Je doute d'obtenir une bonne note parce que Robert, les fantômes et la Maison de la colline m'empêchent de me concentrer.

Après le souper, ma mère s'approche de moi dans le salon. Elle repousse mes cheveux de mon front et examine mon visage avec attention.

— Pourquoi as-tu l'air si fatigué ? me demande-t-elle. Tu as des cernes autour des yeux.

— Peut-être que j'ai du sang de raton laveur, répliqué-je.

C'est ce que je réponds chaque fois qu'elle me dit que j'ai les yeux cernés.

— Tu ferais mieux de te coucher tôt ce soir, intervient mon père.

En fait, mon père croit que tout le monde devrait toujours se coucher tôt.

Je me retire donc dans ma chambre à vingt et une heures trente, mais je ne me couche évidemment pas. Je lis plutôt en écoutant une cassette sur mon baladeur et en jetant de fréquents coups d'œil à mon réveille-matin.

J'attends que mes parents aillent se mettre au lit. Ils ont tous deux le sommeil très profond. Une fois qu'ils se sont endormis, rien ne peut les réveiller, même pas un orage violent. Un arbre s'est déjà abattu sur la maison, et ils n'ont rien entendu.

Les parents de Stéphanie ont également le sommeil profond. C'est ce qui explique que nous pouvons si facilement sortir en douce par la fenêtre de notre chambre et hanter le voisinage une fois la nuit tombée.

Minuit approche. Je souhaiterais que cette nuit soit comme les autres, que nous allions hurler comme des loups sous la fenêtre de Christine Jacques et lancer des araignées sur le lit de Fred Genoît. Mais Stéphanie est convaincue que ce n'est pas assez amusant, que ça manque de piquant. Elle a décidé que nous devrions plutôt aller à la chasse aux fantômes avec un garçon étrange que nous ne connaissons même pas.

Vingt-trois heures cinquante. J'enfile mon anorak matelassé, puis je me glisse à l'extérieur par la fenêtre de ma chambre. Encore une nuit froide et venteuse. Quelques gouttes de pluie verglaçante s'abattent sur mon front. Aussitôt, je relève le capuchon de mon anorak.

Stéphanie m'attend chez elle devant l'entrée. La fermeture éclair de son blouson est ouverte et laisse voir un épais chandail. Ses cheveux sont attachés à l'arrière en une queue de cheval.

Relevant la tête, Stéphanie laisse échapper un

hurlement lugubre. Je plaque aussitôt ma main sur sa bouche.

— Tu vas réveiller tous les voisins, lui dis-je.

Stéphanie se met à rire et recule d'un pas.

— Je me sens un peu surexcitée. Pas toi ? déclare-t-elle avant de pousser un autre hurlement.

Il pleut toujours tandis que nous nous hâtons en direction de la Maison de la colline. Le vent fait tourbillonner les feuilles tombées des arbres. Seules quelques maisons sont encore éclairées à l'intérieur.

Une automobile remonte lentement la rue. Nous nous dissimulons derrière une haie pour éviter d'être vus. Le conducteur du véhicule pourrait en effet se demander ce que deux jeunes de notre âge font dehors à cette heure. En fait, je me le demande aussi.

Une fois l'automobile disparue, nous reprenons notre chemin. Nos chaussures crissent tandis que nous montons la côte qui mène à la vieille demeure hantée. La Maison de la colline se dresse devant nous tel un monstre silencieux qui s'apprête à nous avaler.

La dernière visite est terminée. Aucune lumière ne brille derrière les fenêtres de la maison. Otto, Éva et les autres guides sont probablement déjà tous rentrés chez eux à l'heure qu'il est.

— Viens, dépêche-toi, me presse Stéphanie, qui se met à courir vers le côté de la maison. Robert doit déjà être arrivé.

— Attends-moi ! lui crié-je.

Nous suivons un étroit sentier en terre battue qui mène à l'arrière de la maison. Plissant les yeux, je scrute l'obscurité à la recherche de Robert, mais sans l'apercevoir.

La cour sur l'arrière de la maison est encombrée d'objets divers. Je remarque une rangée de poubelles en métal rouillé le long du mur, une longue échelle couchée sur le côté dans l'herbe haute ainsi que des boîtes en carton, des caisses et des barils éparpillés un peu partout. Il y a également une tondeuse à gazon appuyée contre la maison.

— Il... il fait beaucoup plus noir ici, bégaye Stéphanie. Est-ce que tu vois Robert quelque part?

— Non, lui dis-je dans un murmure. Peut-être qu'il a changé d'idée et qu'il ne viendra pas.

Comme Stéphanie ouvre la bouche pour répondre, un cri étouffé nous fait sursauter. Me retournant, j'aperçois Robert à l'angle de la maison. Il avance vers nous en titubant, les cheveux en broussaille, les yeux écarquillés et les mains pressées sur sa gorge comme s'il suffoquait.

— Le fantôme! s'écrie-t-il en vacillant. Il... il m'a eu.

Robert s'effondre alors à nos pieds et reste là sans bouger.

22

— Bel effort, mais ça ne prend pas, déclaré-je calmement.

— Oui, on sait bien que c'est de la frime, renchérit Stéphanie.

Robert relève lentement la tête et nous regarde.

— Vous n'y avez pas cru ? demande-t-il.

— Pas une seconde, lui assuré-je.

Stéphanie roule les yeux.

— Tu ne nous auras jamais avec ce tour. David et moi, on l'a déjà fait des centaines de fois.

Les sourcils froncés et l'air déçu, Robert se remet sur pied, puis balaie son chandail du revers de la main.

— J'essayais simplement de vous effrayer un peu.

— Il faut plus que ça pour nous faire peur, lui dis-je.

— David et moi, on s'y entend pour faire peur aux gens, ajoute Stéphanie. On pourrait dire que c'est notre passe-temps.

— Vous êtes bizarres, tous les deux, murmure

Robert tandis qu'il passe une main puis l'autre dans ses cheveux pour les démêler.

J'essuie les gouttes de pluie froide qui se sont attachées à mes sourcils.

— Et si on entrait ? dis-je avec impatience.

Robert nous conduit à une étroite porte tout au coin de la maison.

— Avez-vous eu de la difficulté à sortir de chez vous en douce ? nous demande-t-il à voix basse.

— Non, pas moi, lui répond Stéphanie.

— Moi non plus, dis-je.

Arrivé devant la porte, Robert en soulève la clenche.

— J'ai fait la visite encore ce soir, nous chuchote-t-il. Otto m'a montré des choses nouvelles et d'autres pièces qu'on va pouvoir explorer.

— Super ! s'exclame Stéphanie. Tu promets qu'on va voir un vrai fantôme ?

Robert se tourne vers elle. Ses lèvres s'étirent en un étrange sourire.

— Je te le promets. Tu ne seras pas déçue.

23

Robert tire sur la porte, qui s'ouvre en grinçant. Nous nous glissons à l'intérieur, où l'obscurité est totale. Impossible de voir quoi que ce soit. Je fais quelques pas et heurte Robert sans le vouloir.

— Ne faites pas de bruit, nous recommande-t-il. Le gardien de nuit est installé dans le salon à l'avant. Il dort probablement déjà à l'heure qu'il est, mais on ferait mieux de ne pas se risquer dans cette partie de la maison.

— Où est-ce qu'on est? demandé-je dans un murmure.

— Dans une des pièces qui donnent sur l'arrière de la maison, déclare Robert. Attends quelques secondes. Nos yeux vont s'habituer à l'obscurité.

— Est-ce qu'on ne pourrait pas allumer une lumière? proposé-je.

— Les fantômes ne se montrent pas lorsqu'il y a de la lumière, affirme Robert.

Nous avons refermé la porte derrière nous, mais je sens encore un souffle d'air froid sur mon dos. Un frisson me parcourt. Soudain, une sorte de faible cliquètement me fait sursauter. Est-ce mon imagination qui commence à me jouer des tours ?

Je repousse le capuchon de mon anorak pour mieux entendre. Tout est maintenant silencieux.

— Je crois savoir où il y a des chandelles, déclare Robert à voix basse. Je vais aller en chercher. Attendez-moi ici.

— On... on va t'attendre, lui assuré-je.

Je n'ai pas l'intention de bouger d'ici aussi longtemps que je ne verrai rien.

Robert s'éloigne à pas feutrés. Le faible bruit de ses pas ne tarde pas à s'estomper. Les poils se dressent sur ma nuque au passage d'une seconde bouffée d'air froid.

Je laisse échapper une exclamation en entendant de nouveau le même faible cliquètement. On dirait le bruit d'os qui s'entrechoquent. Je sens sur moi une autre bouffée d'air froid, et je songe aussitôt au souffle glacé d'un fantôme. À cette pensée, je me mets à trembler de tous mes membres tandis qu'un frisson grimpe le long de mon échine.

J'entends encore une fois les os qui s'entrechoquent. Le bruit est plus fort et provient de tout près.

Tendant les bras dans l'obscurité, je cherche à tâtons un mur, une table, quelque chose à quoi m'agripper. Mes mains ne rencontrent toutefois que le vide. J'avale péniblement ma salive et m'évertue à demeurer calme. Robert ne va pas tarder à revenir avec des chandelles. Il n'y a aucune raison de paniquer.

Je sursaute lorsque le bruit d'os qui s'entrechoquent se répète.

— Stéphanie, tu as entendu ? chuchoté-je sans obtenir de réponse.

Un souffle d'air froid court sur ma nuque. Les os s'entrechoquent encore une fois.

— Stéphanie, tu as entendu ce bruit ? Stéphanie ?

Toujours aucune réponse.

— Stéphanie ? appelé-je.

Elle n'est plus là.

24

La panique s'empare de moi. Ma respiration s'accélère. Je n'entends plus que le sang qui me bat aux tempes. Tout mon corps se met à trembler.

— Stéphanie ! Stéphanie, où es-tu ? appelé-je d'une voix étouffée.

C'est alors que j'aperçois deux yeux jaune orangé qui se dirigent vers moi. Deux yeux qui jettent des éclats malveillants et qui s'avancent vers moi en flottant dans l'obscurité.

La peur me paralyse. Je ne peux plus bouger. Toute mon attention se porte sur ces deux yeux sinistres, et je ne distingue rien d'autre.

— Oooh ! gémis-je en les voyant approcher davantage.

Ils sont maintenant suffisamment près pour que je découvre qu'il ne s'agit pas d'yeux, mais plutôt de la flamme de deux chandelles tenues côte à côte. À la faible lueur de ces dernières, j'aperçois le visage de Robert et celui de Stéphanie. Mes deux compagnons portent chacun une chandelle devant eux.

— Stéphanie, où étais-tu passée? m'écrié-je d'une voix étranglée. Je... j'ai cru...

— J'ai accompagné Robert, répond calmement Stéphanie.

Lorsqu'elle s'arrête devant moi, la lueur orangée de sa chandelle m'illumine. J'imagine que la panique se lit sur mon visage parce que Stéphanie s'excuse d'une voix douce.

— Je suis désolée, dit-elle. Je t'ai prévenu que j'allais accompagner Robert, et je croyais que tu m'avais entendue.

— Je... j'ai entendu un bruit quelque part par là, bégayé-je. On dirait des os qui s'entrechoquent. Je n'arrête pas de sentir un souffle d'air froid et d'entendre ce...

Robert m'interrompt en me tendant une chandelle.

— Allume-la, m'ordonne-t-il. Ensuite, on va examiner les environs pour découvrir ce qui peut faire ce bruit.

Je m'empare de la chandelle qu'il me tend et l'approche de la sienne pour l'allumer. Ma main tremble tellement que je dois m'y reprendre à plusieurs fois avant de réussir enfin à approcher la mèche de ma chandelle assez près pour que la flamme s'y transmette.

Je me retourne ensuite pour examiner l'endroit où nous nous trouvons à la lueur vacillante de nos trois chandelles.

— Hé! on est dans la cuisine, déclare Stéphanie à voix basse.

Une autre bouffée d'air froid balaie la pièce.

— Vous avez senti ce souffle d'air froid ? m'écrié-je.

Robert dirige sa chandelle vers la fenêtre de la cuisine.

— Regarde, me dit-il, il manque un carreau. C'est tout simplement le vent qui s'engouffre par cette ouverture.

— Oh oui ! Tu as raison.

Un autre courant d'air vient refroidir la pièce, et j'entends encore une fois le cliquètement d'os qui s'entrechoquent.

— Vous avez entendu ? demandé-je à mes compagnons.

Stéphanie se met à glousser et pointe la main en direction du mur. À la faible lueur de nos chandelles, j'aperçois un assortiment de marmites et d'autres ustensiles de cuisine suspendus à des crochets.

— Ce sont ces choses qui font du bruit en s'entrechoquant sous l'effet du vent, m'explique-t-elle.

Je laisse échapper un faible rire.

— Ha, ha ! Je le savais déjà, dis-je en mentant. J'essayais de vous faire peur, pour le plaisir.

Je me fais l'impression d'être un parfait imbécile. Mais je n'ai pas l'intention d'avouer qu'une batterie de cuisine suspendue à des crochets a failli me faire mourir de peur.

— Bon, finies les plaisanteries, insiste Stéphanie en se tournant vers Robert. On veut voir un vrai fantôme.

— Suivez-moi, chuchote Robert. Je veux vous montrer quelque chose dont Otto m'a parlé.

Tenant sa chandelle devant lui, il nous entraîne vers le mur opposé de la pièce, qui est occupé en partie par une cuisinière. Après nous avoir conduits à une armoire, il s'arrête pour en ouvrir la porte puis approche sa chandelle afin que nous puissions voir à l'intérieur.

— Pourquoi est-ce que tu nous montres l'intérieur d'une armoire ? demandé-je. Qu'est-ce qu'elle a d'extraordinaire cette armoire ?

— Ce n'est pas une armoire, réplique Robert. C'est un monte-plats. Regarde.

Robert avance sa main à l'intérieur du réduit et tire sur une corde à côté du monte-plats. Aussitôt, la tablette du monte-plats commence à s'élever. Robert la fait successivement monter puis descendre.

— Tu vois ? C'est une espèce de petit monte-charge que les domestiques utilisaient pour faire monter les plats de la cuisine à la chambre principale.

— Tu veux dire lorsque leurs maîtres avaient un petit creux au milieu de la nuit ? demandé-je sur le ton de la plaisanterie.

Robert fait oui de la tête.

— Le chef cuisinier déposait les plats sur la tablette, puis tirait sur la corde pour les faire monter à l'étage.

— Oh, ouah ! C'est vraiment palpitant, déclaré-je d'un ton sarcastique.

— Oui, pourquoi est-ce que tu nous montres ce truc ? demande Stéphanie.

Robert approche la chandelle de son visage.

— Otto m'a raconté que ce monte-plats est hanté. Il y a cent vingt ans environ, des choses bizarres ont commencé à se produire.

Stéphanie et moi nous avançons avec un intérêt nouveau. J'approche ma chandelle du monte-plats pour l'examiner.

— Comme quoi ? demandé-je.

— Eh bien, déclare Robert d'une voix douce, le chef cuisinier déposait un plat sur la tablette pour le faire monter à l'étage et lorsque la tablette arrivait à la chambre en haut, la nourriture avait disparu.

Stéphanie se tourne vers Robert et l'étudie en plissant les yeux.

— Les plats disparaissaient entre le rez-de-chaussée et le deuxième étage ?

— Oui, répond Robert en hochant la tête.

Son visage a un air grave, et ses yeux gris brillent à la lueur de nos chandelles.

— Et ça s'est produit plusieurs fois, ajoute-t-il. Lorsque la tablette du monte-plats arrivait à l'étage, la nourriture avait disparu.

— Ouah, soufflé-je.

— Le chef cuisinier s'est mis à avoir très peur. Il craignait que le monte-plats soit devenu hanté. Alors il a décidé de ne plus s'en servir, et il a ordonné à tous les domestiques de ne plus jamais l'utiliser.

— Et l'histoire se termine là ? m'informé-je.

De la tête, Robert nous fait signe que non.

— Un jour, il s'est produit une chose horrible.

Stéphanie écarquille les yeux.

— Quoi ? Qu'est-ce qui est arrivé ? s'empresse-t-elle de demander.

— Il y avait des enfants en visite ici. L'un d'eux s'appelait Charles-Étienne. C'était un garçon fort et agile qui aimait bien épater les autres. Lorsqu'il a vu le monte-plats, il a décidé qu'il serait amusant de l'utiliser pour se rendre à l'étage.

— Oh! s'exclame doucement Stéphanie.

Je crois avoir deviné la suite de l'histoire, et je sens un frisson me parcourir.

— Alors Charles-Étienne s'est tassé à l'intérieur du monte-plats, continue Robert, et un autre enfant s'est mis à tirer sur la corde pour le hisser jusqu'à l'étage. Soudain, la corde s'est bloquée. Il n'y avait plus moyen de faire ni monter ni descendre la tablette. Charles-Étienne était coincé entre les deux étages. Les autres enfants lui ont demandé s'il n'avait rien, mais Charles-Étienne n'a pas répondu. Ses compagnons commençaient à s'inquiéter. Ils avaient beau tirer sur la corde de toutes leurs forces, elle refusait de bouger; puis tout à coup, elle a cassé, et la tablette est redescendue brusquement.

— Et Charles-Étienne s'y trouvait encore? demandé-je, captivé par cette histoire.

— Non, déclare Robert. Il n'y avait sur la tablette que trois plats couverts. Un des enfants a soulevé le couvercle du premier. À l'intérieur se trouvait le cœur de Charles-Étienne, qui battait toujours. Le deuxième plat contenait les yeux de Charles-Étienne, le regard fixe et chargé d'horreur. Quant au dernier plat, les enfants y ont découvert les dents de Charles-Étienne, qui claquaient encore.

Nous restons là à contempler le monte-charge en silence à la lueur de nos chandelles. Je frissonne. Les ustensiles de cuisine frappent le mur, mais ce bruit ne me fait plus peur.

Au bout d'un moment, je lève les yeux et tourne

mon regard en direction de Robert.

— Tu crois que tout ça est réellement arrivé ? m'enquiers-je.

Stéphanie éclate d'un rire nerveux.

— Ça ne se peut pas, dit-elle.

L'expression de Robert ne perd rien de son sérieux.

— Est-ce que tu crois au moins certaines des histoires qu'Otto raconte ? me demande-t-il d'une voix douce.

J'hésite, ne sachant pas trop quoi répondre.

— Oui. Non. Peut-être.

— Otto jure que ce que je viens de vous raconter est tout ce qu'il y a de plus vrai, insiste Robert. Mais c'est son travail de rendre cette maison le plus sinistre possible.

— Otto s'y connaît lorsqu'il s'agit de raconter une histoire, murmure Stéphanie. Mais assez discuté. On est venus ici pour voir un vrai fantôme.

— Suivez-moi, nous ordonne alors Robert.

La flamme de sa chandelle se couche presque à l'horizontale tandis qu'il pivote sur ses talons. Nous le suivons à l'autre bout de la cuisine, où il nous invite à entrer dans une longue pièce étroite.

— C'est la dépense, nous explique-t-il. L'endroit où on rangeait toute la nourriture.

Passant devant lui, Stéphanie et moi entrons dans la dépense et levons nos chandelles pour mieux en distinguer l'intérieur. Lorsque je me retourne, Robert est entré à son tour et referme la porte derrière nous. Je le vois tirer ensuite le verrou.

— Hé ! qu'est-ce que tu fais ? m'écrié-je.

— Pourquoi nous enfermes-tu ici ? demande Stéphanie.

25

Surpris, je laisse échapper ma chandelle. La suivant du regard, je la vois tomber sur le plancher et s'éteindre avant d'aller rouler sous une tablette. Lorsque je relève les yeux, j'aperçois Stéphanie qui avance vers Robert d'un pas menaçant.

— Qu'est-ce qui te prend? lui lance-t-elle avec colère. Ouvre cette porte tout de suite. Ce n'est pas drôle.

Je balaie l'étroite pièce du regard. Trois de ses murs sont couverts de tablettes du plafond au plancher. Il n'y a aucune fenêtre ni aucune autre issue par laquelle nous pourrions nous enfuir, mis à part la porte.

Avec un cri aigu, Stéphanie tend la main vers la poignée de la porte. Elle ne peut toutefois la saisir. Robert réagit aussitôt et lui barre le chemin.

— Hé! protesté-je.

Le cœur battant à tout rompre, je fais un pas en avant pour me retrouver à côté de Stéphanie.

— Qu'est-ce qui te prend? demandé-je à Robert.

Mais il ne répond pas, se contentant de nous fixer du même regard qu'il a posé sur nous la veille. À la lueur des deux chandelles encore allumées, ses yeux gris trahissent toutefois son agitation.

Stéphanie et moi reculons d'un pas, et nous serrons l'un contre l'autre.

— Désolé, mais je vous ai joué un tour, déclare Robert au bout d'un moment.

— Quoi ? s'écrie Stéphanie d'un ton où la colère l'emporte sur la frayeur.

— Quel genre de tour ? m'informé-je.

De sa main libre, Robert repousse ses longs cheveux blonds. La flamme de sa chandelle fait danser des ombres sur son visage.

— Je ne m'appelle pas Robert, nous révèle-t-il d'une voix si douce que j'ai peine à l'entendre.

— Mais... mais... balbutié-je.

— Je m'appelle Alcide, ajoute-t-il.

Stéphanie et moi poussons une exclamation de surprise.

— Mais ça, c'est le nom du fantôme, proteste Stéphanie. Du fantôme qui a perdu sa tête.

— C'est moi le fantôme, répond-il dans un souffle.

Un éclat de rire sec s'échappe de ses lèvres, un éclat de rire qui fait davantage penser à une quinte de toux.

— Je vous avais promis que vous verriez un vrai fantôme ce soir. Eh bien, j'ai tenu parole.

Ceci dit, il souffle sur sa chandelle et semble disparaître en même temps que la flamme s'éteint.

— Mais, Robert... commence Stéphanie.

— Alcide, la corrige-t-il. Je m'appelle Alcide. C'est mon nom depuis plus de cent ans déjà.

— Laisse-nous sortir d'ici, supplié-je. On ne dira à personne qu'on t'a vu. On...

— Je ne peux pas vous laisser partir, réplique-t-il dans un murmure.

L'histoire du fantôme du capitaine Dumoulin me revient à l'esprit. Lorsque Alcide a découvert son antre par hasard et a aperçu le fantôme du capitaine, ce dernier lui a dit à peu près la même chose : « Maintenant que tu m'as vu, je ne peux pas te laisser partir. »

— Alcide a... il a perdu sa tête ! laissé-je échapper.

— Et toi tu as la tienne, alors tu ne peux pas être Alcide, s'exclame Stéphanie.

À la faible lueur de sa chandelle (la dernière encore allumée), j'aperçois un sourire moqueur qui se dessine sur le visage d'Alcide.

— Non, non, tu te trompes, déclare-t-il à voix basse. La tête que je porte actuellement n'est pas à moi. C'est une tête que j'ai empruntée. (Il se saisit la tête à deux mains.) Regardez. Vous allez voir.

26

— Non ! Arrête ! s'écrie Stéphanie d'une voix perçante.

Je ferme les yeux parce que je n'ai aucune envie de le voir se départir de sa tête. Lorsque je me décide à les rouvrir, Alcide a renoncé à sa démonstration et se tient les bras le long du corps.

Mon regard fait une nouvelle fois le tour de l'étroite dépense. Y a-t-il un moyen de nous échapper ? Comment pourrions-nous sortir d'ici alors que le fantôme se tient devant la seule issue ?

— Pourquoi as-tu prétendu t'appeler Robert ? demande Stéphanie à Alcide. Pourquoi nous as-tu menti ? Et pourquoi nous as-tu amenés ici ?

Alcide pousse un soupir.

— Comme je vous l'ai dit, la tête que je porte actuellement est une tête que j'ai empruntée. (Tout en parlant, il passe la main dans ses cheveux puis sur sa joue, comme s'il la caressait.) Il faut maintenant que je la rende.

Stéphanie et moi le dévisageons en silence. Nous

attendons qu'il en dise plus, qu'il nous fournisse une explication.

— Je vous ai remarqués hier soir pendant la visite, ajoute Alcide au bout d'un moment tandis qu'il me fixe du regard. Les autres membres de votre groupe ne pouvaient pas me voir, mais j'ai fait en sorte d'être visible à vos yeux.

— Pourquoi ? demandé-je d'une voix tremblante.

— À cause de ta tête, répond Alcide. Ta tête m'a plu.

Je laisse échapper une exclamation de frayeur.

Alcide saisit une poignée de ses cheveux blonds.

— Je ne peux pas garder cette tête, explique-t-il d'un ton calme et froid. Alors j'ai décidé de prendre la tienne pour la remplacer.

27

Un gloussement terrifié fuse de mes lèvres. Pourquoi certaines personnes se mettent-elles brusquement à rire lorsqu'elles ont peur ? Probablement pour éviter de se mettre à hurler, ou pour ne pas exploser ou quelque chose du genre.

Retenu prisonnier dans cette petite pièce obscure par un fantôme vieux de cent ans qui veut littéralement ma tête, je me sens pris d'une envie simultanée de rire, de hurler et d'exploser.

Je regarde fixement Alcide en louchant pour mieux voir dans la pénombre.

— Tu te moques de moi, n'est-ce pas ? demandé-je.

Mais Alcide fait non de la tête. Ses yeux se plissent, et son regard devient dur et froid.

— J'ai besoin de ta tête, me dit-il d'une voix douce avant de hausser les épaules comme pour s'excuser. Je vais te l'arracher rapidement. Tu ne sentiras rien.

— Mais... mais moi aussi j'en ai besoin ! protesté-je.

— Je vais seulement te l'emprunter, déclare Alcide

en avançant d'un pas dans notre direction. Tu pourras la reprendre lorsque j'aurai retrouvé la mienne. Je te le promets.

— Si tu crois me réconforter en disant ça...

Lorsque Alcide fait un pas de plus vers nous, Stéphanie et moi reculons d'autant. Alcide avance d'un autre pas, et nous faisons un pas de plus en arrière. Il ne nous reste bientôt plus beaucoup d'espace pour reculer encore parce que nous avons presque atteint les tablettes tout au fond de la dépense.

Stéphanie laisse soudain échapper une exclamation.

— Laisse-nous une chance, et on va retrouver ta tête, offre-t-elle à Alcide.

La peur fait trembler sa voix, et je me tourne vers elle, étonné.

C'est la première fois que je vois Stéphanie effrayée. Sa peur évidente ne fait qu'ajouter à la mienne.

— Oui, fais-nous confiance, insisté-je d'une voix rauque. On va retrouver ta tête. On y passera toute la nuit s'il le faut. On connaît la maison. Je suis sûr qu'on arrivera à la trouver si tu nous laisses essayer.

Alcide se contente de nous dévisager sans répondre.

J'aurais envie de me jeter à genoux et de le supplier de nous laisser une chance, mais j'ai peur qu'il en profite pour m'arracher la tête.

— On va la trouver, Alcide. Je suis sûre et certaine qu'on va la trouver, déclare Stéphanie.

Alcide hoche la tête, la tête qu'il a empruntée.

— Vous n'y arriverez pas, murmure-t-il avec

tristesse. Ne savez-vous donc pas depuis combien de temps j'essaie de retrouver ma tête ? Il y a plus de cent ans que je la cherche. Il y a plus de cent ans que je fouille chaque passage, chaque pièce et chaque placard de cette maison.

Ceci dit, il fait un autre pas dans notre direction. Ses yeux se fixent sur ma tête. Je sais bien qu'il l'étudie, qu'il se demande de quoi elle aura l'air sur ses épaules.

— J'ai cherché pendant toutes ces années, et je n'ai jamais retrouvé ma tête, reprend Alcide. Alors qu'est-ce qui vous fait croire que vous pourrez la trouver cette nuit ?

— Eh bien, euh... commence Stéphanie d'une voix hésitante avant de se tourner vers moi.

— Peut... peut-être qu'on aura de la chance, déclaré-je.

Pas très inspiré comme réponse.

— Je suis désolé, affirme Alcide, mais j'ai besoin de ta tête, David, et nous perdons du temps.

— Non, attends ! Laisse-nous une chance ! m'écrié-je.

Il avance encore d'un pas, et je remarque qu'il examine maintenant mes cheveux. J'imagine qu'il se demande s'il devrait les laisser allonger.

— Alcide, je t'en prie, supplié-je.

Son regard désormais vitreux m'indique que je perds mon temps. Alcide tend les mains vers moi en faisant un pas de plus. Stéphanie et moi reculons aussitôt.

— Donne-moi ta tête, me souffle le fantôme.

Reculant encore, je heurte l'une des tablettes

installées au fond de la dépense.

— J'ai besoin de ta tête, David.

Stéphanie et moi nous serrons l'un contre l'autre, le dos appuyé aux tablettes qui nous coupent la retraite. Le fantôme s'approche de nous, les bras tendus. Nous nous pressons encore davantage contre le mur tapissé de tablettes. Mon coude entre en contact avec une surface dure. J'entends quelque chose tomber sur le plancher avec un bruit sourd.

— J'ai besoin de ta tête, répète Alcide.

Ses mains se referment, puis s'ouvrent de nouveau. Encore deux pas et il sera suffisamment près pour s'emparer de moi.

— Ta tête, donne-la-moi.

Instinctivement, je rejette le torse en arrière et heurte l'une des tablettes, qui se met à glisser avec un grincement sinistre. Déséquilibré, je recule en titubant et découvre alors que tout le mur est en train de s'écrouler.

— Que... qu'est-ce qui se passe ? bégayé-je.

— Tu ne pourras pas m'échapper, déclare le fantôme.

28

Alcide s'élance vers moi, les mains tendues. Je m'esquive et recule tandis que le mur pivote lentement avec bruit. Stéphanie trébuche et s'écrase lourdement par terre. Sans perdre de temps, je l'aide à se remettre sur pied tandis qu'Alcide essaie une nouvelle fois de me saisir la tête.

— Sortons d'ici, crié-je pour me faire entendre de Stéphanie malgré le grincement que fait le mur en se déplaçant.

Ce dernier a en effet laissé la place à une ouverture, qui est maintenant suffisamment large pour que nous puissions nous y faufiler. Sans hésiter, je pousse Stéphanie vers cette issue, et nous nous glissons de l'autre côté du mur.

À la lueur de la chandelle que Stéphanie a réussi à conserver, j'aperçois devant nous un tunnel qui semble plutôt long. Nous sommes apparemment dans une sorte de passage secret jusque-là caché par le mur de la dépense. J'avais déjà entendu dire que certaines vieilles maisons comportent des passages secrets, mais je n'aurais jamais pensé être aussi content de découvrir moi-même ce genre de chose.

Stéphanie et moi nous mettons à courir. Le bruit de nos pas se répercute dans l'étroit passage. Faits de plâtre ou d'un matériau semblable, ses murs sont nus et portent les marques du temps.

Au bout d'un moment, Stéphanie ralentit pour jeter un coup d'œil par-dessus son épaule.

— Tu crois qu'il nous suit ? demande-t-elle.

— Continue à courir, lui dis-je. Ce tunnel débouche sûrement sur l'extérieur. Il n'y a pas d'autre choix. Il faut qu'il débouche sur l'extérieur.

— Je n'arrive pas à en voir la fin, réplique Stéphanie, le souffle court.

Le tunnel se perd en effet dans l'obscurité à un mètre ou deux devant nous. Jusqu'à présent, il n'a fait aucun coude. S'étend-il encore comme ça longtemps en ligne droite ? Tant pis si c'est le cas parce que je n'ai pas du tout l'intention d'arrêter de courir tant que nous ne serons pas sortis de cette maison.

Et ensuite, je ne remettrai plus jamais les pieds ici. J'ai la ferme intention de me tenir loin des fantômes et de garder ma tête bien attachée à mon cou.

Je me demande cependant si j'aurai l'occasion de mettre toutes ces bonnes résolutions en pratique.

Soudain, un mur lui aussi fait de plâtre se dresse devant nous. Entraînés par notre élan, Stéphanie et moi passons près de le heurter de plein fouet.

Le passage se termine en cul-de-sac.

— Il... il n'y a pas d'issue ! m'écrié-je, le souffle court, en frappant le mur de mes deux poings.

Pourquoi avoir construit un passage secret qui ne mène nulle part ?

— Pousse contre le mur, me presse Stéphanie. Je vais t'aider. Peut-être qu'il va pivoter lui aussi.

Sans attendre, nous appuyons l'épaule contre la paroi de plâtre et poussons. Encore et encore. L'effort me fait haleter. Je gémis, faisant appel à toutes mes forces.

Nous nous épuisons toujours en vain lorsque j'entends le bruit de pas qui se rapprochent.

Alcide.

— Pousse ! s'écrie Stéphanie.

Nous redoublons alors nos efforts.

— Allez, bouge ! ordonné-je à la paroi.

Jetant un coup d'œil derrière moi, j'aperçois vaguement la silhouette d'Alcide qui approche d'un pas régulier.

— On est pris au piège, gémit Stéphanie avant de s'affaisser contre le mur avec un soupir.

Alcide avance toujours vers nous.

— David, je veux ta tête, me lance-t-il, et le passage résonne de l'écho de ses paroles.

— On est faits, me souffle Stéphanie.

— Peut-être pas, répliqué-je d'une voix mal assurée.

Du doigt, j'attire son attention vers l'un des angles du passage.

— Regarde, ajouté-je. Une échelle.

— Hein? fait Stéphanie en se remettant sur pied d'un bond.

Elle plisse les yeux pour mieux voir. Il y a effectivement une échelle métallique fixée au mur sur le côté.

Ses barreaux couverts de poussière mènent à une petite ouverture carrée pratiquée dans le plafond. Sur quoi cette ouverture débouche-t-elle ? Je n'en sais rien.

— Donne-moi ta tête, insiste le fantôme.

Je saisis les montants de l'échelle, me hisse sur le premier barreau et bascule la tête en arrière pour jeter un coup d'œil à travers l'ouverture. L'obscurité est totale là-haut. Impossible d'apercevoir quoi que ce soit.

— David, me chuchote Stéphanie. On ne sait pas où ça mène.

— Tant pis, lui déclaré-je tout en commençant à grimper. On n'a pas le choix.

29

— Où vas-tu comme ça? me demande le fantôme. J'ai besoin de ta tête.

Sans répondre à ses appels, je me hisse sur le barreau suivant. Dans sa hâte, Stéphanie me heurte par-derrière.

Mes chaussures glissent sur les barreaux couverts d'une épaisse couche de poussière, et j'ai peine à agripper les montants de métal dont le contact me glace les doigts.

— David, tu ne peux pas m'échapper, déclare Alcide, qui semble maintenant se tenir tout près au pied de l'échelle.

Hors d'haleine, Stéphanie et moi continuons à gravir les échelons de l'échelle aussi vite que nous le pouvons. Il n'y a pas d'autre issue. C'est notre seule chance. Je pose le pied sur un barreau puis sur un autre.

Brusquement, l'échelle se met à pencher.

— Noooon! protesté-je tandis qu'elle s'incline davantage.

Mon cri se noie dans un craquement sourd. Il me faut quelques secondes pour comprendre que le mur a cédé sous notre poids et qu'il est en train de s'effondrer.

J'entends Stéphanie pousser un cri tandis que nous tombons. Mes mains demeurent fermement agrippées aux montants de l'échelle, mais celle-ci bascule dans une pluie de débris.

Lâchant prise, je m'écroule dans un monceau de débris et de poussière. Malgré la douleur, je roule aussitôt de côté pour éviter de me faire écraser par l'échelle.

J'aperçois Stéphanie à genoux tout près de moi. Encore sous le choc, elle secoue la tête. Ses cheveux sont couverts de poussière.

De mon bras, je protège mes yeux des fragments de mur qui continuent à s'abattre sur nous. Au bout d'un moment, enfin, il ne tombe plus rien. Le silence se fait.

Lorsque je me décide finalement à ouvrir les yeux, j'aperçois Alcide qui se dresse au-dessus de moi. Il se tient là debout, les mains crispées, bouche bée. Sans paraître me voir, il regarde fixement quelque chose derrière moi.

La chandelle que Stéphanie a laissé échapper dans sa chute est là par terre non loin de moi. Sa mèche est miraculeusement toujours allumée.

Je me remets péniblement sur pied et époussette mes vêtements tout en me retournant pour découvrir ce qui fascine autant Robert.

— Une pièce secrète ! s'exclame Stéphanie en s'approchant derrière moi. Ce vieux mur cachait une pièce secrète.

Après avoir ramassé la chandelle, je m'avance vers la pièce en question. Il me faut regarder chaque fois où je pose le pied pour ne pas trébucher sur le sol jonché de débris. Au bout de quelques pas, je m'arrête et lève les yeux.

C'est alors que j'aperçois ce que regarde fixement Alcide.

Une tête. Ou plus précisément la tête d'un garçon de notre âge posée là par terre, à l'intérieur de la pièce secrète.

— Je n'arrive pas à y croire, déclare Stéphanie. On l'a trouvée ! On l'a vraiment trouvée !

J'avale ma salive avec difficulté, puis fais un autre pas en avant.

Même à la faible lueur de ma chandelle, la tête apparaît d'un blanc miroitant. Je n'ai aucun doute qu'elle appartient à un garçon de mon âge, bien que ses longs cheveux ondulés soient d'un blanc de neige. Des yeux vert émeraude brillent au milieu de son visage livide.

— La tête du fantôme, soufflé-je.

Je me tourne vers Alcide.

— Ta tête. On l'a retrouvée pour toi.

Je m'attends à le voir sourire ou crier de joie, mais il n'en est rien. Après avoir cherché sa tête aussi longtemps, il devrait pourtant se réjouir de l'avoir enfin trouvée. Je n'y comprends rien.

À ma grande surprise, l'horreur se peint tout à coup sur son visage. Alcide ne regarde même plus sa tête depuis longtemps disparue. Non, il a levé les yeux vers le plafond, et il tremble maintenant de tous ses membres. Un cri de frayeur s'échappe de ses lèvres.

— Alcide, qu'est-ce qui te prend? demandé-je.

Je doute qu'il ait même entendu ma question. Les yeux fixés au plafond, il reste là, tout tremblant, les mains serrées le long du corps. Au bout d'un moment, enfin, il lève lentement le bras.

— Non! gémit-il. Nooooon!

Curieux, je me tourne pour voir ce qui l'a effrayé. Quelque chose descend lentement du plafond. Je crois tout d'abord qu'il s'agit d'un rideau ou d'un truc du genre, mais lorsque la silhouette approche du sol, je découvre qu'elle a forme humaine. Elle a forme humaine, et elle laisse passer la lumière.

L'air se rafraîchit tout à coup autour de nous.

— Ce... c'est un fantôme! s'écrie Stéphanie en m'agrippant le bras.

30

Le fantôme se pose en douceur sur le plancher de la pièce secrète, les bras levés à la manière d'un oiseau qui étend ses ailes.

Stéphanie et moi laissons échapper une exclamation tandis qu'il se redresse sans bruit.

Peu grand et très maigre, le fantôme porte un pantalon ample à l'ancienne mode et une chemise à manches longues parée d'un haut col. Mon regard s'attarde sur ce dernier. Rien ne le surmonte.

Ce fantôme n'a littéralement pas de tête.

Je sens un courant d'air froid autour de moi tandis que le fantôme se penche en miroitant comme s'il était fait d'un voile léger et diaphane. Tendant les mains, il s'empare de la tête posée sur le plancher. Lentement, il la soulève jusqu'à ses épaules et la remet en place.

Sitôt que la tête touche le cou du fantôme, une lueur se met à briller dans ses yeux verts. Ses joues tressaillent, et ses sourcils d'un blanc de neige se soulèvent puis s'abaissent à plusieurs reprises. Pour terminer, sa bouche s'ouvre.

Le fantôme se tourne vers Stéphanie et moi. Je le vois remuer les lèvres pour nous adresser un merci silencieux. Il dresse ensuite les bras au-dessus de sa tête à peine retrouvée. Sans nous quitter des yeux, il s'élève alors lentement vers le plafond.

Mon cœur bat la chamade tandis que je le regarde s'élever en silence jusqu'à ce qu'il disparaisse dans l'obscurité.

Stéphanie et moi nous tournons ensuite tous deux au même moment vers Alcide. Ou plutôt vers le garçon qui se fait passer pour lui. Nous venons tout juste de voir le vrai Alcide, ce jeune d'un autre siècle transformé en fantôme. Il a récupéré sous nos yeux la tête qu'il a cherchée pendant si longtemps.

Le garçon qui se faisait passer pour lui est cependant toujours là. Il se tient derrière nous et tremble encore, ses yeux écarquillés fixant toujours l'intérieur de la pièce cachée. Je l'entends avaler sa salive à plusieurs reprises avec difficulté.

— Puisque tu n'es pas Alcide, commencé-je en le regardant durement, puisque tu n'es pas le fantôme sans tête, qui es-tu?

31

— Oui, insiste Stéphanie d'un ton chargé de colère. Dis-nous qui tu es.

— Et explique-nous pourquoi tu nous as poursuivis, ajouté-je.

— Euh... eh bien... hésite le garçon en levant les mains, paumes vers le haut, comme pour nous signifier qu'il renonce.

Sans un mot de plus, il se met à reculer. Il n'a fait que trois ou quatre pas lorsque nous entendons quelqu'un approcher dans le passage.

Un autre fantôme ? Je me tourne vers Stéphanie pour l'interroger du regard.

— Qui est là ? lance une voix grave et forte.

J'aperçois au loin le faisceau de lumière que jette une lampe de poche.

— Qui est là ? répète la même voix, qui m'est familière.

Otto !

— Euh, par ici, appelle doucement le garçon.

— Robert, c'est toi ?

Le faisceau de la lampe de poche se rapproche en tressautant au rythme des pas d'Otto, que je ne tarde pas à distinguer. Il nous observe, les yeux plissés.

— Qu'est-ce que tu fais ici ? Cette partie de la maison est dangereuse ; elle tombe en ruine.

— On... on explorait, déclare Robert d'un ton hésitant, mais on s'est perdus. Ce n'est vraiment pas notre faute si on est ici.

Otto le regarde, l'air sévère. L'étonnement se peint sur son visage lorsque le faisceau de sa lampe de poche se pose sur Stéphanie et sur moi.

— Encore vous ! Comment êtes-vous entrés dans la maison ? Et qu'est-ce que vous faites ici ?

— Il... il nous a laissés entrer, dis-je en pointant le doigt vers Robert.

Otto se retourne alors vers Robert et secoue la tête avec tristesse.

— C'est encore un de tes tours, je suppose. Tu essayais de leur faire peur, c'est ça ?

— Non, pas vraiment, oncle Otto, répond Robert sans lever les yeux.

Oncle Otto ? Alors Robert est le neveu d'Otto. Ça explique comment il a appris autant de choses au sujet de la Maison de la colline.

— Dis-moi la vérité, insiste Otto. Tu te faisais encore passer pour un fantôme. Avoue-le. Combien de fois vais-je devoir te répéter de ne plus jouer ce tour aux enfants ? De ne plus les faire mourir de peur ?

Robert reste là sans rien dire. Otto passe la main sur son crâne chauve, puis pousse un long soupir.

— Cette maison est notre gagne-pain, déclare-t-il ensuite. Est-ce que tu veux faire fuir tous ceux qui pourraient avoir envie de la visiter? Est-ce que tu veux nous créer des ennuis avec tout le voisinage?

Baissant la tête, Robert garde encore le silence.

Je vois qu'il est dans de beaux draps, et je ne peux pas m'empêcher de vouloir l'aider.

— Il n'y a pas de mal, Otto, dis-je. Il ne nous a pas fait peur.

— Oui, c'est vrai, assure Stéphanie. On n'a pas cru que c'était un fantôme. N'est-ce pas, David?

— Absolument. On n'y a pas cru une seule seconde.

— Surtout lorsqu'on a vu le vrai fantôme, ajoute Stéphanie.

Otto se tourne vers elle et la dévisage à la lumière de sa lampe de poche.

— Le quoi?

— Le vrai fantôme, répète Stéphanie.

— On a vu le vrai fantôme, oncle Otto, s'exclame alors Robert. C'était super!

Son oncle roule les yeux.

— Laisse tomber, ordonne-t-il à Robert. Il est trop tard pour que j'écoute de pareilles sornettes. Vous essayez tout simplement de vous éviter des ennuis.

— Non. On vous raconte la vérité, insisté-je.

— Oui, c'est vrai, déclarent Stéphanie et Robert à l'unisson.

— On a vraiment vu le fantôme sans tête, affirme Robert à son oncle. Il faut que tu nous croies.

— Bon, bon, si vous le dites, marmonne Otto.

Se retournant, il nous fait signe en agitant sa lampe de poche.

— Venez. Suivez-moi. Sortons d'ici.

32

Après cette nuit plutôt éprouvante à la Maison de la colline, Stéphanie et moi avons renoncé à hanter le voisinage. Ça ne nous amuse tout simplement plus, surtout depuis que nous avons vu un vrai fantôme.

Nous ne sortons plus de la maison en douce le soir. Nous ne nous couvrons plus le visage d'un masque hideux pour faire peur aux enfants en nous dressant devant leur fenêtre. Nous ne nous cachons plus dans les buissons pour hurler comme des loups-garous au milieu de la nuit.

Oui, nous avons renoncé à tout ça, et nous ne parlons même plus de fantômes.

En fait, Stéphanie et moi nous intéressons plutôt à des choses d'un genre bien différent. J'ai décidé de tenter ma chance au basket-ball, et je fais maintenant partie de l'équipe de l'école. Stéphanie, elle, a opté pour le théâtre. Elle doit tenir le rôle de l'héroïne dans la pièce que présentera la troupe de l'école le mois prochain. Le rôle de l'héroïne ou celui d'une domestique sans grande importance. Ce n'est pas encore décidé.

Nous avons passé un bel hiver. Il a neigé en abondance, et nous avons eu beaucoup de plaisir sans connaître un seul moment de frayeur.

En cette première soirée vraiment chaude du printemps, nous rentrons chez nous après avoir assisté à une fête d'anniversaire. Il y a des tulipes en fleur devant certaines maisons du voisinage, et l'air a une odeur agréable.

Comme nous passons devant la Maison de la colline, je m'arrête et lève les yeux pour contempler la vieille demeure. Stéphanie s'immobilise à mes côtés.

— Tu voudrais qu'on entre, n'est-ce pas ? dit-elle en lisant dans mes pensées.

Je fais oui de la tête.

— On pourrait faire la visite, proposé-je. On n'est pas revenus depuis...

— Pourquoi pas, après tout ? accepte Stéphanie.

Nous entreprenons de gravir la pente raide qui mène à la maison. L'immense demeure est tout aussi obscure et sinistre qu'à l'habitude.

Au moment où nous approchons de l'entrée, le battant de la porte s'ouvre tout seul avec un grincement. Encore une autre chose qui n'a pas changé.

Nous entrons dans le vestibule. Au bout de quelques secondes, Otto s'approche pour nous accueillir. Il est comme toujours vêtu de noir de la tête aux pieds. Un large sourire éclaire son visage rond.

— Quelle surprise ! s'exclame-t-il d'un ton joyeux en nous apercevant. Ça fait plaisir de vous revoir.

(Se tournant vers l'entrée du salon, il ajoute :) Éva, vient voir qui vient d'entrer.

Éva ne tarde pas à sortir du salon. Portant la main à son visage pâle et ridé, elle laisse échapper une exclamation de surprise.

— Nous nous demandions si nous vous reverrions un jour, dit-elle.

Je jette un coup d'œil à l'intérieur du salon. Il n'y a personne d'autre. Nous sommes les seuls visiteurs.

— Vous pouvez nous faire faire la visite ? demandé-je à Otto.

— Bien sûr, répond-il avec un sourire encore plus large. Laissez-moi seulement aller chercher ma lampe.

Fidèle à sa parole, il nous fait visiter la maison sans omettre un seul détail de ses explications habituelles. J'ai plaisir à revoir les différentes pièces de la maison, mais cet endroit n'a plus aucun secret ni pour moi ni pour Stéphanie.

Une fois la visite terminée, nous remercions Otto, puis lui souhaitons le bonsoir avant de repartir.

Tandis que nous nous éloignons de la maison, une voiture de police s'immobilise près de nous le long du trottoir. Je vois descendre la glace de la portière du côté passager. Un policier en uniforme sort sa tête par l'ouverture.

— Hé, les jeunes, qu'est-ce que vous faisiez là-haut? nous interpelle-t-il.

Stéphanie et moi nous approchons de la voiture. L'agent nous regarde d'un air méfiant, comme s'il nous soupçonnait de quelque chose.

— On est allés faire la visite de la maison, c'est

tout, expliqué-je en pointant le doigt vers la vieille demeure.

— La visite ? Quelle visite ? demande le policier d'un ton bourru.

— La visite de la maison hantée, évidemment, réplique Stéphanie avec impatience.

L'agent de police s'étire pour nous examiner de plus près. Il a les yeux bleus, et son visage est parsemé de taches de rousseur.

— Qu'est-ce que vous faisiez réellement là-haut ? insiste-t-il sans hausser le ton.

— On vient de vous le dire, déclaré-je d'une voix aiguë. On est allés faire la visite. C'est tout.

Le policier installé derrière le volant laisse échapper un gloussement.

— Peut-être qu'un fantôme leur a fait visiter la maison, lance-t-il à son collègue.

— Plus personne ne fait visiter la Maison de la colline, affirme l'autre policier en fronçant les sourcils. En fait, il y a des mois que cet endroit est abandonné.

Stéphanie et moi poussons tous deux une exclamation d'étonnement.

— Les visites guidées ont cessé il y a plus de trois mois, continue l'agent de police. La maison est vide. Personne n'y est entré depuis le début de l'hiver.

— Quoi ?

Stéphanie et moi échangeons un regard incrédule, puis tournons les yeux vers la Maison de la colline. Ses tourelles en pierre se dressent contre le noir violacé du ciel. L'endroit est plongé dans l'obscurité. C'est du moins ce qu'il me semble jusqu'à ce que je remarque une faible lueur à travers l'une des fenêtres de la façade. La lueur orangée d'une lampe à huile qui baigne de sa lumière le visage d'Otto et celui d'Éva. Ils flottent tous deux derrière la fenêtre et laissent passer la lumière comme s'ils étaient constitués d'une matière diaphane.

Il n'y a qu'une explication possible. Éva et Otto sont eux aussi des fantômes. Je les contemple à la lueur de la lampe. Au bout d'un moment, je cligne des yeux, et la lumière disparaît.

UN MOT SUR L'AUTEUR

R.L. Stine a écrit de nombreux romans à suspense pour les jeunes, qui ont tous connu un grand succès de librairie.

Parmi les plus récents, citons *La gardienne III*, *Rendez-vous à l'Halloween*,*Vagues de peur* et *Le chalet maudit.*

R.L. Stine habite New York avec son épouse, Jane, et leur fils, Matt.

DANS LA MÊME COLLECTION

1. Sang de monstre
2. Sous-sol interdit !
3. D'étranges photos
4. La maison de Saint-Lugubre
5. Prisonniers du miroir
6. Le tombeau de la momie
7. Le pantin diabolique
8. La fillette qui criait au monstre
9. Le fantôme d'à côté
10. Bienvenue au camp de la peur
11. Le masque hanté
12. Joëlle, l'oiseau de malheur
13. La mort au bout des doigts
14. Le loup-garou du marais
15. Je n'ai peur de rien !
16. Une journée à Horreurville
17. Pris au piège
18. Sang de monstre II
19. Terreur dans le récif
20. La balade des épouvantails
21. Les vers contre-attaquent
22. La plage hantée
23. La colère de la momie
24. Un fantôme dans les coulisses
25. Le mutant masqué
26. Les cobayes du docteur Piteboule
27. Les pierres magiques
28. L'horloge enchantée
29. Sang de monstre III
30. Un monstre sous l'évier
31. Le pantin diabolique II
32. Les chiens fantômes
33. Le masque hanté II

bientôt

N° 35
CHEZ LES RÉDUCTEURS DE TÊTES

Qu'est-ce qui possède deux yeux, une bouche et une peau verdâtre toute ridée ? La tête réduite que Marc a reçu de sa tante Béatrice.

Cette tête provient de l'île de Baladora et Marc meurt d'envie de la montrer à ses amis. Mais cette tête n'est pas une tête ordinaire. Un soir elle se met à briller et Marc se rend compte en plus qu'elle à un pouvoir magique... et dangereux.

Dans la même collection

SANG DE MONSTRE

Durant un séjour forcé chez sa grand-tante Adèle, Christophe achète dans une boutique de jouets une vieille boîte en métal rouillé, étiquetée *Sang de monstre.* Au début, c'est un plaisir de jouer avec la curieuse substance, mais le plaisir devient vite un cauchemar.

D'ÉTRANGES PHOTOS

Grégoire pense que le vieil appareil photo que lui et ses amis ont trouvé est défectueux. Les photos ne sortent pas comme elles le devraient. Comme celle qu'il prend de la voiture toute neuve de son père et qui la montre complètement démolie. L'appareil photo serait-il diabolique ?

PRISONNIERS DU MIROIR

Le jour de son douzième anniversaire, Éric découvre un miroir dans le grenier. Un miroir qui peut rendre invisible. Éric et ses amis en font tout de suite leur jeu préféré. Mais ce jeu peut devenir dangereux. Surtout si Éric perd le contrôle de la situation !

LE PANTIN DIABOLIQUE

Lydia trouve un pantin de ventriloque. Karine, sa sœur jumelle, est bien décidée à s'en procurer un elle aussi. Cependant, des événements étranges commencent à se produire. Le pantin pourrait-il en être la cause ?

Dans la même collection

N° 9

LE FANTÔME D'À CÔTÉ

Pour Anna, les choses ne sont plus tout à fait comme avant depuis qu'une nouvelle famille a emménagé à côté de chez elle. Le garçon est bizarre et il disparaît de façon si étrange… Anna serait-elle hantée par le fantôme d'à côté ?

LE MASQUE HANTÉ

N° 11

Carole a déniché un masque d'Halloween si affreux, si laid, que même ses meilleurs amis ne veulent plus l'approcher. Carole le voulait comme ça. Pour se venger. Après tout, l'Halloween ne dure qu'un soir… Mais le masque, lui, combien de temps va-t-il durer?

N° 13

LA MORT AU BOUT DES DOIGTS

Jérôme fait la découverte d'un vieux piano poussiéreux. Ses parents lui offrent de prendre des cours de musique. Tout va bien au début. Mais son professeur est bizarre… vraiment bizarre. Puis Jérôme entend des histoires terrifiantes d'élèves qui vont à leur cours… et ne reviennent jamais.

JE N'AI PEUR DE RIEN !

N° 15

Colette se croit brave. Elle fait passer Étienne et ses amis pour des mauviettes. Mais Étienne en a assez. Il sait qu'elle croit à la légende des monstres de boue qui habitent le marais. Et il a un plan qui ne peut rater. Dommage qu'Étienne n'y croie pas, lui aussi, car il se pourrait que les monstres existent vraiment.

Dans la même collection

N°17

PRIS AU PIÈGE

Gaby Pothier se sent mal dans sa peau. Il n'a pas d'amis. Il pense même que sa petite sœur ne l'aime pas. Il en a assez de la vie qu'il mène. Une solution : changer de corps avec quelqu'un d'autre. Son rêve va devenir réalité. Mais le bonheur prévu tourne vite au cauchemar... un cauchemar bourdonnant !

N°19

TERREUR DANS LE RÉCIF

Bernard et sa sœur, Sophie, rendent visite à leur oncle qui demeure sur une île des Antilles. C'est l'endroit idéal pour faire de la plongée sous-marine. Toutefois, il leur est interdit de s'approcher du récif de corail. Mais Bernard ne peut y résister. Malheureusement, il n'est pas seul dans l'eau. Quelque chose de sombre et d'écailleux rôde sous la surface... Qui peut bien hanter le lagon ?

N°21

LES VERS CONTRE-ATTAQUENT

Charles est obsédé par les vers. Il les aime tellement qu'il les élève dans le sous-sol. Son plus grand plaisir est de les utiliser pour faire peur à sa sœur et sa meilleure amie. Il leur en jette dans les cheveux, leur en glisse dans le dos. Jusqu'au jour où, après avoir coupé en deux l'une de ces bestioles, Charles remarque un phénomène étrange... Se pourrait-il que les vers fassent à Charles le coup de l'arroseur arrosé ?

Dans la même collection

N°23

LA COLÈRE DE LA MOMIE

Après ce qui lui est arrivé là-bas la dernière fois, Gabriel est un peu nerveux à l'idée de retourner dans la région des pyramides en Égypte. Et voilà qu'il entend parler d'une incantation qui permettrait de ramener une momie à la vie. Son oncle n'y croit pas une seconde, mais quelque chose semble bouger à l'intérieur du tombeau. Une simple incantation peut-elle vraiment réveiller une momie ?

LE MUTANT MASQUÉ

N°25

Juju Perrien collectionne les bandes dessinées. Sa préférée : *Le Mutant masqué*, un personnage diabolique qui cherche à devenir le maître de l'univers. Un jour, Juju se rend dans un quartier inconnu et y découvre un édifice bizarre semblable au repaire du Mutant de ses bédés. L'imagination de Juju lui joue-t-elle des tours ? Ou le Mutant existe-t-il réellement ?

N°27

LES PIERRES MAGIQUES

En visite à Londres, Annie et son frère Théo se perdent lors d'une excursion en groupe. Mais il n'y a aucune raison de paniquer. Jamais leur guide ne les abandonnerait tout seuls dans une vieille prison sinistre. Jamais il ne les laisserait là, après la tombée de la nuit, enfermés dans une tour où un étrange inconnu cherche à s'emparer d'eux. Mais… sait-on jamais ?

Dans la même collection

SANG DE MONSTRE III

Christophe déteste garder son cousin Xavier qui ne s'intéresse qu'aux jeux vidéo. Ce petit génie passe tout son temps à tenter d'étranges expériences. Pour donner une bonne leçon à Xavier, Christophe sort son sang de monstre de sa cachette. Il en met une petite quantité dans une des savantes mixtures de Xavier. Le mélange éclabousse Christophe, qui en avale par mégarde. Xavier trouvera-t-il à temps un contrepoison pour sauver Christophe?

LE PANTIN DIABOLIQUE II

Le pantin de ventriloque d'Annick est vieux. Annick supplie ses parents de lui en procurer un autre. Son père lui apporte bientôt Charlot trouvé dans une boutique de prêteur sur gages. Charlot n'est pas très beau, mais Annick s'amuse à répéter son numéro avec lui. Avec la venue de Charlot chez les Marleau, des événements terribles se produisent. Des événements qu'on pourrait qualifier de diaboliques...

LA MASQUE HANTÉ II

Mario n'oubliera jamais le masque d'Halloween de Carole. Il était tellement terrifiant et si monstrueux. Cette année, Mario décide d'être celui qui aura le déguisement le plus effrayant. Il se procure donc un masque de vieillard sinistre aux cheveux filasses, au visage ridé et aux oreilles d'où sortent des araignées! Mario remporte évidemment la palme.
Mais pourquoi se sent-il si vieux, si fatigué, si démoniaque?...